4e année du primaire

ACTIVITÉS DE RÉSOLUTION DE PROBLÈMES

par

RAYMOND BERTHIAUME

ISBN 2-89168-264-5

Dépôt légal 3e trimestre 1995
Bibliothèque nationale du Québec

Chargé de projet: Raymond Paradis
Consultation: Magdelhayne Buteau
Illustrations: Yvon Marcoux
Typographie, montage: Raymond Berthiaume

D1247275

4e année du primaire

RAYMOND BERTHIAUME

ACTIVITÉS DE RÉSOLUTION DE PROBLÈMES

SELON UNE DÉMARCHE PROGRESSIVE ET PÉDAGOGIQUE

Activités de résolution de problèmes (4e année)

Avant-propos

Le présent cahier offre divers problèmes originaux et variés qui, nous l'espérons, susciteront l'intérêt de l'enfant.

Chaque problème présente des situations concrètes faisant appel à des techniques et à des stratégies ayant à la base la capacité de réfléchir et de raisonner. Parfois, nous invitons l'élève à évaluer les solutions envisagées.

Les exercices de résolution de problèmes sont formateurs à plus d'un titre: ils demandent à l'élève de bien lire, de se concentrer, de suivre une démarche logique. Nous croyons que de tels exercices auront un effet bénéfique sur l'ensemble des activités d'apprentissage de l'enfant.

Raymond Berthiaume

Activités de résolution de problèmes

Tables des matières

page

1. Je comprends et j'organise les informations qui sont données.

Je lis les problèmes avec soin.   6
Je reformule mes problèmes.   8
Je ramasse les données.   10
Je réunis les informations.   12
J'illustre mon problème.   14
Je discute d'un problème.   16
Je me pose des questions.   18

2. J'établis mon plan

J'enlève ce qui ne sert pas.   22
J'arrondis et j'estime.   24
Je m'assure qu'il ne me manque pas d'informations.   26
Je sépare mon problème en petits problèmes.   28
Je choisis la bonne opération.   30
J'écris mon problème sous la forme d'une équation.   32
J'établis l'ordre des opérations.   34
Je fais un diagramme.   36
J'estime un résultat.   38

3. Je résous les problèmes et j'évalue les solutions

Je résous une équation.   42
Je vérifie la valeur de ma réponse.   44
Je vérifie si la solution est complète ou partielle.   46

4. Je généralise ma démarche

Je solutionne des problèmes semblables.   50
Je relève de nouveaux défis.   84

5. Je m'évalue

Je remplis ma fiche d'évaluation personnelle.   100
Corrigé   101

Activités de résolution de problèmes

Module 1

Je comprends et j'organise
les informations qui me sont données.

Consignes:

a) Lis chaque problème au moins 2 fois.
b) Souligne les mots importants.
c) Écris ce que tu dois trouver sur le pointillé.

1. (Exemple) Pour la fête d'accueil, on a regroupé les 63 élèves de 4ᵉ année en équipes de 10 élèves. Combien d'équipes a-t-on pu former ?

   Le nombre d'équipes de 10 élèves.
   ....
   (ce que je dois trouver)

2. On organise ensuite une chasse au trésor visuel dans la cour de l'école. Chaque élève doit écrire le nom d'objets ayant une forme rectangulaire. Nomme 5 objets ayant cette forme dans ta cour d'école.

   ....
   (ce que je dois trouver)

3. On a demandé aux élèves de 5 équipes de former un polygone dont chaque équipe formerait un côté. Quel est le nom de la figure ainsi formée ?

   ....
   (ce que je dois trouver)

4. Pour la course rigolote, chaque élève transporte une balle de tennis dans une cuillère. Denise a réussi le parcours en 128 secondes, Joëlle en moins de 2 minutes et Henriette en 7 secondes de moins que Denise. Laquelle a pris le moins de temps ?

   ....
   (ce que je dois trouver)

5. Les parents du comité d'école distribuent 127 glaciers à la cerise, 78 à la banane et 95 à l'orange. Combien de glaciers à la cerise y a-t-il de plus que de glaciers à l'orange ?

   ....
   (ce que je dois trouver)

6. À la collation, 231 élèves ont reçu un berlingot de 150 ml de lait et 159 élèves ont reçu un berlingot de 200 ml de jus d'orange. Combien de berlingots les élèves ont-ils reçus ?

   ....
   (ce que je dois trouver)

Consignes:

a) Lis chaque problème au moins 2 fois.
b) Souligne les mots importants.
c) Écris ce que tu dois trouver sur le pointillé.

7. À la compétition de saut à la corde, la championne de 6e année a réussi 227 sauts alors que la championne de 1re année en a réussi 89. Quel est l'écart entre les 2 championnes ?

....
(ce que je dois trouver)

8. Pour souligner l'amitié qui peut les unir à tous les enfants du continent, les élèves et les enseignants ont mis des messages dans 125 ballons rouges, 137 ballons bleus et 168 ballons blancs. Combien de ballons gonflés à l'hélium se sont envolés ce jour-là ?

....
(ce que je dois trouver)

9. On termine la fête d'accueil par la chanson de l'amitié. Les élèves de 6e chantent le premier couplet, ceux de 5e année, le dernier couplet, ceux de 1re année, le 2e couplet, ceux de 2e année, l'avant-dernier couplet et ceux de 3e année, le 4e couplet. Quel couplet chantent les élèves de 4e année ?

....
(ce que je dois trouver)

10. Chacune des 12 classes envoie 3 élèves pour former l'équipe de nettoyage. Cette équipe va s'assurer qu'il ne reste aucun déchet dans la cour, sur les parterres et dans les corridors de l'école. Combien y a-t-il d'élèves dans cette équipe de nettoyage ?

....
(ce que je dois trouver)

11. Avec 3 enfants assis sur chacun de leurs 24 sièges, les 2 autobus bien remplis ramènent chez eux les élèves qui demeurent à plus d'un kilomètre et demi de l'école. Trouve le nombre d'élèves voyagés par autobus.

....
(ce que je dois trouver)

Consignes:

a) Lis chaque problème au moins 2 fois.
b) Souligne les mots importants.
c) Trouve qui a bien compris le problème
   en le reformulant.

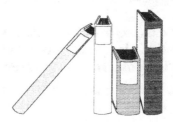

1. À toutes les 2 semaines, Julia se rend à la bibliothèque municipale. Elle emprunte un livre de contes, 2 livres de bandes dessinées et un roman-jeunesse. Si elle prend 3 jours pour lire un livre, a-t-elle assez de temps pour lire les 4 livres qu'elle emprunte ?

   Voici comment John et Maxime ont reformulé le problème. À toi de me dire lequel a bien compris le problème.

   John: *"Je dois trouver si Julia a emprunté assez de livres (4) pour les 2 semaines du prêt."*

   Maxime: *"Je dois trouver si Julia aura assez de temps, 2 semaines, pour lire ses 4 livres."*

   Qui a raison? _____

2. Tous les samedis, Mathieu emprunte 3 livres à la bibliothèque municipale. Au bout d'une année, aura-t-il emprunté plus de 150 livres ?

   Voici comment Élisa et Louise ont reformulé le problème. À toi de me dire laquelle a bien compris le problème.

   Élisa: *"Je dois seulement trouver le nombre total de livres qu'il emprunte à la bibliothèque dans une année."*

   Louise: *"Je dois trouver si le nombre total de livres qu'il emprunte dans une année dépasse 150."*

   Qui a raison? _____

3. À la bibliothèque municipale, chaque étagère a 5 tablettes. Sur chaque tablette, on met environ 45 livres. La bibliothèque possède 600 romans jeunesse. Peut-on tous les mettre sur 2 étagères ?

   Voici comment Thomas et Lucie ont reformulé le problème. À toi de me dire qui a bien compris le problème.

   Thomas: *"Je dois trouver combien je peux mettre de livres sur 2 étagères et vérifier si le résultat est plus grand ou plus petit que 600."*

   Lucie: *"Je dois trouver combien je peux mettre de livres sur 5 tablettes et vérifier si le résultat est plus grand ou plus petit que 600."*

   Qui a raison? _____

Je reformule mes problèmes.

> **Consignes:**
>
> a) Lis chaque problème au moins 2 fois.
> b) Souligne les mots importants.
> c) Montre que tu as bien compris le problème
> en le reformulant.

4. **Dans la salle principale, il y a 12 tables. Autour de chaque table, on a placé 6 chaises. Combien de lecteurs peut-on asseoir en même temps ?**

   Reformule le problème, c'est-à-dire fais une phrase pour dire ce que tu dois trouver.

   ....

   ....

5. **Depuis 3 ans, on a ajouté 188 romans jeunesse. Puisqu'on a maintenant 600 romans jeunesse, combien en avait-on avant ces ajouts ?**

   Reformule le problème, c'est-à-dire fais une phrase pour dire ce que tu dois trouver.

   ....

   ....

6. **La bibliothèque a 360 livres de contes. On achètera 100 livres de contes cette semaine. Cela coûtera 1 200 $. Combien de livres de contes aura-t-on alors ?**

   Reformule le problème, c'est-à-dire fais une phrase pour dire ce que tu dois trouver.

   ....

   ....

7. **Sur les 327 élèves de notre école, 182 sont inscrits à la bibliothèque municipale et possèdent leur carte de prêt. Combien d'élèves de notre école ne sont pas inscrits à la bibliothèque municipale ?**

   Reformule le problème, c'est-à-dire fais une phrase pour dire ce que tu dois trouver.

   ....

   ....

Je ramasse les données.

1. De septembre à juin, les élèves peuvent déposer 2 fois par mois à la caisse scolaire. Combien de fois un élève de 4e année pourra-t-il déposer durant l'année scolaire ?

....

....
(ce que je dois trouver)

2. Pendant le mois d'octobre, les élèves ont pu déposer 2 fois. La première fois, 67 filles et 45 garçons ont fait un dépôt, la 2e fois, 72 filles et 53 garçons ont fait un dépôt. Combien de dépôts les élèves ont-ils faits en tout ?

....

....
(ce que je dois trouver)

3. L'épicier vend ses pommes 3 $ le sac de 6 kg. Le pomiculteur me les vend 1 $ les 3 kg. Lequel des deux vend ses pommes le plus cher ?

....

....
(ce que je dois trouver)

4. Johanne veut acheter une citrouille pour chacune des 12 classes de l'école. À la fruiterie, on lui demande 36 $ pour 12 citrouilles. Au marché, on lui demande 2 $ la citrouille, quelle que soit la quantité. Où Johanne devrait-elle acheter ses citrouilles ?

....

....
(ce que je dois trouver)

Consignes:

a) Écris sur le pointillé ce que tu dois trouver.
b) Encercle les données (chiffres, nombres et mots) qui t'aident à résoudre le problème.
c) Dans le rectangle, transcris ces données et nomme ce qu'elles désignent.

5. Les élèves de 4ᵉ année iront visiter un verger dans 2 semaines. De l'école au verger, il y a 38 km. Leur trajet aller-retour sera de combien de km ?

....
....
(ce que je dois trouver)

6. À chacun de ses anniversaires, Irène mesure sa taille et vérifie son poids. Cette année, elle mesure 142 cm et pèse 32 kg. Elle constate qu'elle a grandi de 5 cm et qu'elle pèse 3 kg de plus. Quels étaient son poids et sa taille l'année dernière ?

....
....
(ce que je dois trouver)

7. Pour être transportés par autobus jusqu'à l'école, les élèves doivent demeurer à 1 500 mètres de l'école. Jérémie demeure à 1 258 mètres de l'école. À combien de mètres de plus devrait-il demeurer pour être admissible au transport scolaire ?

....
....
(ce que je dois trouver)

8. Pour l'Halloween, Pascal veut mettre une banderole décorative autour de sa classe. Celle-ci est de forme rectangulaire. Son mur le plus long a 8 mètres et son mur le plus court a 6 mètres. Quelle longueur devra avoir sa banderole ?

....
....
(ce que je dois trouver)

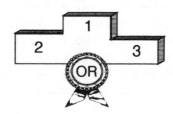

Consignes:

a) Lis chaque problème au moins 2 fois.
b) Écris sur le pointillé ce que tu dois trouver.
c) Complète le tableau.

1. Avant de commencer la compétition de gymnastique, les 5 athlètes se donnent tous la main. Combien cela fait-il de poignées de mains ?

↱	Marc	Luc	Joël	Rémi	Jean	Total
Marc		X	X	X	X	4
Luc						
Joël						
Rémi						
Jean						
					Grand total ->	

....
(ce que je dois trouver)

↱ signifie: donne une poignée de main à ...

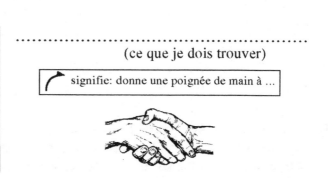

2. Louis a un nouveau jeu de course automobile pour ordinateur. La première fois que la voiture de tête complète un tour, 2 lampes s'allument à l'écran. À chaque nouveau tour complété, le nombre de lampes allumées double. Combien y a-t-il de lampes allumées après 4 tours de piste ?

Départ	0 lumière
1er tour	2 lumières
2e tour	2 x 2 = 4 lumières
3e tour	
4e tour	

....
(ce que je dois trouver)

3. Les voitures ont un numéro constitué d'un nombre à 3 chiffres. La voiture qui vient de gagner a un chiffre pair plus grand que 6 à la position des unités. Elle a un chiffre inférieur à 5 et supérieur à 3 à la position des dizaines. Quant au chiffre à la position des centaines, il est égal à la somme de 2 chiffres consécutifs et il est plus grand que 5. Trouve les 2 réponses possibles.

nombre à 3 chiffres	?	?	?
chiffre pair > 6 (pos. unités)	?	?	8
5 > chiffre > 3 (pos. dizaines)	?		8
chiffre > 5 (pos. centaines) et			8
chiffre = a+b (ex. 1 + 2 = 3, ...)			8

} 2 réponses possibles

....
(ce que je dois trouver)

Consignes:

a) Lis chaque problème au moins 2 fois.
b) Écris sur le pointillé ce que tu dois trouver.
c) Complète le tableau.

---

4. Entre 2 compétitions, Louise, Sonia et Vicky ont toutes trois mangé du raisin. Sonia a mangé 15 raisins de plus que Vicky. Louise a mangé 12 raisins de plus que Sonia. Louise a mangé 42 raisins. Combien Vicky a-t-elle mangé de raisins ?

Louise	Sonia	Vicky
42 raisins	42 – 12 = ?	. . . – 15 = ?

....
(ce que je dois trouver)

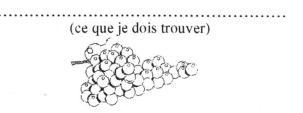

5. Dans la dernière course, la voiture rouge maintenait une vitesse de 9 tours en 3 minutes, la voiture bleue, une vitesse de 8 tours en 2 minutes et la voiture jaune, 10 tours en 5 minutes. Quelle voiture faisait le plus de tours en une minute ?

Voitures	1 min	2 min	3 min	4 min	5 min
rouge	?		9 tours		
bleue	?	8 tours			
jaune	?				10 tours

....
(ce que je dois trouver)

6. Dans la compétition de saut en longueur, Lise a fait un bond de 243 centimètres, Érica, un bond de 2,85 mètres et Geneviève, un bond qui avait 50 millimètres de moins que 3 mètres. Laquelle des 3 a fait le plus long saut ?

Mesures données	transformation (1 m = 100 cm)	centimètres	
243 cm		= 243 cm	Lise
2,85 m	= 2 m et 85 cm	= ...... cm	Érica
3 m – 50 mm 3 m – 50 mm	= = 300 cm = 5 cm (10 mm = 1 cm) = 300 cm – 5 cm	 = ... cm	Geneviève

....
(ce que je dois trouver)

Consignes:

a) Lis chaque problème au moins 2 fois.
b) Écris sur le pointillé ce que tu dois trouver.
c) Fais un dessin qui t'aidera à résoudre
le problème.

1. **Ève possède un magnifique album de photos. Elle peut mettre 8 photos par page. Aujourd'hui, elle doit placer 19 photos. Combien de pages va-t-elle utiliser ? Combien de photos mettra-t-elle sur la troisième page ?**

....

....
(ce que je dois trouver)

2. **Jean, Paul et Louis collectionnent les cartes de hockey. Ils veulent s'échanger quelques cartes. Jean a 9 cartes à échanger. Paul en a 2 fois plus que Jean et Louis en a 3 fois moins que Paul. Combien Louis a-t-il de cartes à échanger ?**

....

....
(ce que je dois trouver)

3. **Denise a reçu en cadeau un coffret de perles colorées. Elle découvre que pour chaque perle bleue, elle a 3 perles rouges et 5 perles vertes. Si elle a 4 perles bleues, combien a-t-elle de perles en tout ?**

....

....
(ce que je dois trouver)

14

Consignes:

a) Lis chaque problème au moins 2 fois.
b) Écris sur le pointillé ce que tu dois trouver.
c) Fais un dessin qui t'aidera à résoudre
   le problème.

4. Henriette a une collection de 39 bibelots. Tous représentent des tortues. Son papa lui a préparé 3 coffrets pouvant chacun contenir 12 bibelots. Combien de tortues ne pourront pas être rangées dans les coffrets ?

....
....
(ce que je dois trouver)

5. Marc expose en classe sa collection de véhicules miniatures. Les autos ont 4 roues, les camions, 6 roues et les remorques, 10 roues. Sur la première table, il place 3 autos, 2 camions et 1 remorque. Combien cela fait-il de roues ?

....
....
(ce que je dois trouver)

6. Stéphanie a apporté à l'expo-sciences de l'école une boîte vitrée dans laquelle sont exposés 3 papillons bleus et 4 papillons jaunes. Étant donné qu'un papillon a 2 paires d'ailes, combien y a-t-il d'ailes jaunes de plus que d'ailes bleues dans la boîte de Stéphanie ?

....
....
(ce que je dois trouver)

1. Rachel a 12 souris blanches et 4 perruches. Elle donne à Rita la moitié de ses souris blanches et de ses perruches. Combien de pattes d'animaux Rachel peut-elle compter dans ses cages maintenant ?

   a) ....
   (ce que je dois trouver)

   b) ....
   (ce que mon ami a écrit qu'il doit trouver)

   Êtes-vous d'accord? Oui ☐   Non ☐
   Qui a raison? Lui ☐   Toi ☐   Les deux ☐

2. Samuel a placé sa collection de minéraux dans 4 coffrets. Chaque coffret a 9 compartiments. Il a déposé 2 spécimens dans chaque compartiment. Samuel avait combien de spécimens à ranger ?

   a) ....
   (ce que je dois trouver)

   b) ....
   (ce que mon ami a écrit qu'il doit trouver)

   Êtes-vous d'accord? Oui ☐   Non ☐
   Qui a raison? Lui ☐   Toi ☐   Les deux ☐

3. Anne-Marie a reçu un coffret à bijoux pour son anniversaire. Elle y a placé ses 4 bracelets et ses 5 bagues. Son coffret peut contenir 5 fois plus de bagues et 2 fois plus de bracelets. Combien de bijoux (bagues et bracelets) peut-il contenir ?

   a) ....
   (ce que je dois trouver)

   b) ....
   (ce que mon ami a écrit qu'il doit trouver)

   Êtes-vous d'accord? Oui ☐   Non ☐
   Qui a raison? Lui ☐   Toi ☐   Les deux ☐

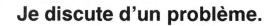

Consignes:

a) Lis chaque problème au moins 2 fois.
b) Écris sur le pointillé ce que tu dois trouver
   et ce que ton ami a trouvé.

4. Mario possède une piste d'autos de course miniatures. Ses petits bolides peuvent foncer à 2 mètres/seconde. À cette vitesse, quelle distance peuvent-ils parcourir en 2 minutes et 10 secondes ?

   a) ....
   (ce que je dois trouver)

   b) ....
   (ce que mon ami a écrit qu'il doit trouver)

   Êtes-vous d'accord? Oui ☐   Non ☐
   Qui a raison? Lui ☐   Toi ☐   Les deux ☐

5. Julie et Philippe ont chacun 22 albums de bandes dessinées. Si Julie donne 2 de ses albums à Philippe, combien chacun aura-t-il alors d'albums de bandes dessinées ?

   a) ....
   (ce que je dois trouver)

   b) ....
   (ce que mon ami a écrit qu'il doit trouver)

   Êtes-vous d'accord? Oui ☐   Non ☐
   Qui a raison? Lui ☐   Toi ☐   Les deux ☐

6. Mélissa s'est acheté un paquet de 4 tablettes de chocolat. Chaque tablette pèse 46 grammes. Quelle est la masse totale de son paquet ?

   a) ....
   (ce que je dois trouver)

   b) ....
   (ce que mon ami a écrit qu'il doit trouver)

   Êtes-vous d'accord? Oui ☐   Non ☐
   Qui a raison? Lui ☐   Toi ☐   Les deux ☐

Je me pose des questions.

Consignes:

a) Lis chaque problème au moins 2 fois.
b) Écris sur le pointillé ce que tu dois trouver.
c) Pose une question pertinente.

---

1. **(Exemple) À toutes les semaines, la mère de Jonathan achète 2 pains à sandwich, un pain brun et un pain aux raisins. Combien cela fait-il de pains en tout au bout d'une année ?**

Question pertinente:	....
Combien y a-t-il de semaines dans une année ? *Réponse: 52 semaines*	.... (ce que je dois trouver)

2. **Chaque matin, les 30 élèves de 4e année reçoivent un berlingot de lait qui contient 250 ml de lait. Combien de litres de lait ces élèves boivent-ils dans une semaine de 5 jours de classe ?**

Question pertinente:	....
	.... (ce que je dois trouver)

$$\begin{array}{r} 60 \\ \times 5 \\ \hline 300 \end{array} \div 2 = 150$$

3. **Le robinet de la salle de bains fuit: il laisse échapper une goutte d'eau à toutes les 2 secondes. Au bout de 5 minutes, combien de gouttes d'eau se seront écoulées du robinet?**

Question pertinente:	....
	.... (ce que je dois trouver)

4. **Il y a 30 cases métalliques alignées dans le corridor des élèves de 4ᵉ année. Chaque case mesure 25 cm de large. Combien de mètres de large couvrent ces 30 cases ?**

$$\begin{array}{r} 25 \\ \times 30 \\ \hline 750 \end{array} \text{cm} = 7,5\text{m}$$

7,5m

Question pertinente:	....
	.... (ce que je dois trouver)

Je me pose des questions.

Consignes:

a) Lis chaque problème au moins 2 fois.
b) Écris sur le pointillé ce que tu dois trouver.
c) Pose une question pertinente.

5. À l'expo-sciences de l'école, on fait une expérience qui consiste à peser un lapin avant et après son repas. Avant son repas, il pèse exactement 2 kg et après son repas, il pèse 100 g de plus. Quel est donc son nouveau poids en grammes ?

Question pertinente:

....
....
(ce que je dois trouver)

6. En vue d'une compétition inter-écoles, Pierrette s'entraîne à courir l'épreuve des 100 mètres. Elle a déjà parcouru 12 fois cette distance depuis 2 heures. A-t-elle parcouru plus ou moins qu'un kilomètre ?

Question pertinente:

....
....
(ce que je dois trouver)

7. Kevin a reçu en cadeau d'anniversaire un abonnement d'un an à la revue mensuelle "Les Débrouillards". Comme il n'y a pas de parution aux mois de juillet et d'août, combien recevra-t-il de revues ?

Question pertinente:

....
....
(ce que je dois trouver)

8. Sandra se tricote une belle écharpe rouge. Comme elle prend 15 minutes pour tricoter un cm, de combien d'heures aura-t-elle besoin pour se tricoter une écharpe de 60 cm ?

4 cm dans 1 heure
60 ÷ 4 = 15 heures

Question pertinente:

....
....
(ce que je dois trouver)

Activités de résolution de problèmes

Module 2

J'établis mon plan.

a) Je choisis une ou des stratégies.

b) Je trouve les opérations à faire.

Consignes:

a) Lis chaque problème au moins 2 fois.
b) Écris sur le pointillé ce que tu dois trouver.
c) Rature ou raye les données inutiles.

1. (Exemple) Marianne demeure au 403 de la rue Namur et Hélène, au 507 de la rue Quintal. Marianne a 15 oursons en peluche et Hélène en a le double. Combien Hélène a-t-elle d'oursons en peluche ?

....
(ce que je dois trouver)

RÉPONSE

1. (Exemple) ~~Marianne demeure au 403 de la rue Namur et Hélène au 507 de la rue Quintal.~~ Marianne a 15 oursons en peluche et Hélène en a le double. Combien Hélène a-t-elle d'oursons en peluche?

Je cherche le nombre d'oursons possédés par Hélène.
....

2. Le 4 octobre, Kaman est allée visiter un verger. Elle a vu une première section où étaient alignées 3 rangées de 12 pommiers. Au pied de chaque pommier, il y avait 2 caisses de pommes. Combien y avait-il de caisses de pommes dans cette section ?

....
(ce que je dois trouver)

3. Nicole a 2 albums de photos. Le premier a 12 pages et peut recevoir 6 photos par page, le second a 10 pages et peut recevoir 8 photos par page. Combien de photos peut-elle mettre dans le second album ?

....
(ce que je dois trouver)

4. Le numéro de mon adresse est inférieur à 99. Le chiffre à la position des unités est pair et plus grand que 6. Le chiffre à la position des dizaines est le triple du chiffre 3. Enfin ma maison est située à 7 mètres du trottoir. Quel est mon numéro ?

....
(ce que je dois trouver)

5. Le stationnement du supermarché est assez grand pour y placer 52 voitures ou 32 camionnettes. Ce matin, 18 voitures et 7 camionnettes y sont stationnées. Combien de véhicules y sont stationnés ce matin ?

....
(ce que je dois trouver)

J'enlève ce qui ne sert pas.

Consignes:

a) Lis chaque problème au moins 2 fois.
b) Écris sur le pointillé ce que tu dois trouver.
c) Rature ou raye les données inutiles.

6. J'ai rangé les 57 épinglettes de ma collection dans 3 grands coffrets en merisier. Dans 2 ans, j'aimerais avoir doublé ma quantité d'épinglettes. Si j'y parviens, combien aurai-je alors d'épinglettes ?

....
(ce que je dois trouver)

7. La face nord de mon école a 18 fenêtres, la face sud en a 20, la face est en a 8 et la face ouest en a 6. Chaque fenêtre a 2 vitres rectangulaires. Combien y a-t-il de fenêtres sur les 4 faces de mon école ?

....
(ce que je dois trouver)

8. C'est l'anniversaire d'Hubert: il a aujourd'hui 10 ans. Il a préparé 2 douzaines de petits gâteaux au chocolat pour recevoir ses 5 amis. Combien restera-t-il de gâteaux quand tous en auront mangé 2 ?

....
(ce que je dois trouver)

9. Kim nage dans une piscine aux dimensions très impressionnantes: longueur de 50 mètres, largeur de 20 mètres et profondeur de 2 mètres. Si elle franchit 5 longueurs en 12 minutes, combien de mètres aura-t-elle parcourus en nageant ?

....
(ce que je dois trouver)

10. Nadine récolte les fruits et les légumes de son potager. On y trouve 12 plants de tomates et 8 plants de concombres. Si chaque plant lui donne 5 kilos de tomates, quelle sera le poids total de sa récolte de tomates?

....
(ce que je dois trouver)

11. Bernard et ses amis voyagent dans un autobus de 48 places. Ils parcourront 65 kilomètres pour aller visiter une exposition agricole. Il y a 5 places libres dans l'autobus. Combien y a-t-il de passagers dans l'autobus ?

....
(ce que je dois trouver)

Consignes:

a) Lis chaque problème au moins 2 fois.
b) Écris sur le pointillé ce que tu dois trouver.
c) Arrondis les nombres et fais une estimation.

1. **(Exemple) Pour l'Halloween, maman prépare 100 sacs de bonbons qu'elle donnera à la porte. Elle a acheté un sac de 210 sucettes et 2 sacs de 52 bonbons aux fruits. En aura-t-elle assez pour mettre 3 bonbons par sac ?**

....
(ce que je dois trouver)

		J'arrondis		J'estime
sucettes	210	--> 200	200	Elle en aura assez car
bonbons aux fruits	52	--> 50	} 100 } 300	100 sacs à 3 bonbons
" " "	52	--> 50		font 300 bonbons.

2. **Le soir de l'Halloween, Rosita a l'intention d'aller frapper aux 103 portes des maisons de sa rue. Si elle prend 2 minutes pour aller d'une porte à l'autre, pourra-t-elle frapper à toutes les portes en 2 heures ?**

....
(ce que je dois trouver)

J'arrondis	J'estime

3. **14 élèves de la classe de Micheline ont recueilli de l'argent pour l'U.N.I.C.E.F. 10 élèves ont recueilli un peu plus de 9 $ et les 4 autres, un peu plus de 12 $. Le montant recueilli est-il plus près de 100 $, de 150 $ ou de 200 $?**

....
(ce que je dois trouver)

J'arrondis	J'estime

24

Consignes:

a) Lis chaque problème au moins 2 fois.
b) Écris sur le pointillé ce que tu dois trouver.
c) Arrondis les nombres et fais une estimation.

---

4. On doit remplacer 196 tuiles acoustiques au plafond du corridor. Les ouvriers ont apporté 5 boîtes de 32 tuiles. Les tuiles ont 30 cm sur 30 cm. Y aura-t-il assez de tuiles pour réparer ce plafond ?

....
(ce que je dois trouver)

	J'arrondis	J'estime

5. D'après une enquête sérieuse faite il y a une semaine, chaque élève boit environ 510 ml d'eau par jour. Selon toi, l'ensemble des 392 élèves de l'école boit-il plus de 150 litres d'eau par jour ?

....
(ce que je dois trouver)

	J'arrondis	J'estime

6. Les élèves de l'école viennent de vivre l'expérience de la "Livromagie". Francine a découvert qu'elle lit 52 pages en 60 minutes et Claudette qu'elle lit une page à la minute. Laquelle aura lu le plus de pages en 2 heures ?

....
(ce que je dois trouver)

	J'arrondis	J'estime

Consignes:

a) Lis chaque problème au moins 2 fois.
b) Écris sur le pointillé ce que tu dois trouver.
c) Cherche et indique ce qui manque pour pouvoir résoudre le problème.

Je m'assure qu'il ne me manque pas d'informations.

1. **(Exemple) Les élèves des 3 classes de 4e année préparent un tournoi d'échecs. 12 élèves de 4e A, 19 élèves de 4e B et tous les élèves de 4e C y participeront comme joueurs. On dispose de 30 échiquiers. Ce nombre sera-t-il suffisant ?**

Il me manque:
le nombre d'élèves de 4e C.

....
....
(ce que je dois trouver)

2. **L'école a organisé un tournoi de sauts à la corde pour recueillir les fonds nécessaires à une classe de neige. Ernest a réussi à faire le double des sauts de Rémi et Jacques, le double des sauts d'Ernest. À eux 3 ont-ils fait plus de 200 sauts ?**

Il me manque:

....
....
(ce que je dois trouver)

3. **En 1 heure et 30 minutes, Lucien a fait 12 fois le tour du parc à bicyclette. Roméo a fait le même parcours en 1 heure 20 minutes. Quelle est la distance parcourue par Lucien ?**

Il me manque:

....
....
(ce que je dois trouver)

4. **Emmanuelle avait un gros sac de billes. Elle perdit 26 billes en jouant avec ses amis, mais en mettant de l'ordre dans sa chambre elle en retrouva 2 fois plus que ce qu'il lui restait . Combien a-t-elle de billes maintenant ?**

Il me manque:

....
....
(ce que je dois trouver)

Consignes:

a) Lis chaque problème au moins 2 fois.
b) Écris sur le pointillé ce que tu dois trouver.
c) Cherche et indique ce qui manque pour pouvoir résoudre le problème.

Je m'assure qu'il ne me manque pas d'informations.

5. Notre enseignante remet 5 billets de tirage aux élèves qui n'ont eu aucune faute dans leur dictée. Après avoir corrigé la moitié des cahiers, elle a déjà remis 25 billets de tirage. Combien remettra-t-elle de billets en tout ?

> **Il me manque:**

....
....
(ce que je dois trouver)

6. Maman a commencé ses achats de Noël. Elle a acheté une cravate pour papa, une bande dessinée pour Mathieu et une poupée pour Sonia. La cravate a coûté 25 $ et la poupée 23 $. A-t-elle dépensé plus de 50 $ pour ces 3 achats ?

> **Il me manque:**

....
....
(ce que je dois trouver)

7. Samedi, Luc a regardé des émissions pendant 3 heures avant le souper. Dimanche, il en a regardé pendant 2 heures avant le souper et 3 heures après le souper. A-t-il regardé plus d'heures de télé avant ou après le souper en fin de semaine ?

> **Il me manque:**

....
....
(ce que je dois trouver)

8. Les 57 élèves de 4e année ont tous un cahier de dictée. Ce cahier compte 32 pages. Si tous ces élèves remplissent toutes les pages de leur cahier, sur combien de lignes auront-ils écrit ?

> **Il me manque:**

....
....
(ce que je dois trouver)

Consignes:

a) Lis chaque problème au moins 2 fois.
b) Écris sur le pointillé ce que tu dois trouver.
c) Sépare le problème en plusieurs petits problèmes.

Je sépare mon problème en petits problèmes.

1. (Exemple) Marco et Louis font des expériences avec une balance. Sur l'un des plateaux, ils ont mis 2 poids de 30 g et sur l'autre plateau, 3 poids de 25 g . Combien de grammes manque-t-il à l'un des plateaux pour qu'il y ait équilibre ?

....
(ce que je dois trouver)

1er plateau	*2e plateau*	*Ce qui manque*
30 + 30 = 60 g	25 + 25 + 25 = 75 g	75 – 60 = 15
ou 30 x 2 = 60 g	ou 25 x 3 = 75 g	Réponse: il manque 15 g

2. Pour aller en classe de neige, les 3 classes de 4e année ont réservé 2 autocars de 48 places chacun. Puisqu'il y a 28 élèves en 4e A, 30 élèves en 4e B et 29 élèves en 4e C, combien d'adultes pourront les accompagner dans les autocars ?

....
(ce que je dois trouver)

48 x2 96	28 30 29 87	96 – 87 9

3. On peut enregistrer 6 heures d'émissions sur une cassette vidéo. Myra a déjà enregistré 2 émissions de 60 minutes et 4 émissions de 30 minutes. Peut-elle encore enregistrer un film de 96 minutes sur cette même cassette ?

.... oui ....
(ce que je dois trouver)

120
96
24

min. enregistrées	cassettes	
2×60 + 4×30 120 + 120 = 240	6 × 60 = 360	360 – 240 = 120

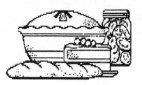

Consignes:

a) Lis chaque problème au moins 2 fois.
b) Écris sur le pointillé ce que tu dois trouver.
c) Sépare le problème en plusieurs petits
problèmes.

4. Alain a décidé d'utiliser l'argent reçu en cadeau pour s'acheter des albums de
bandes dessinées. Il a reçu 50 $ de papa et maman, 25 $ de sa marraine et 20$ de
sa grand-maman. Pourra-t-il s'acheter 8 albums à 12 $ chacun ?

....
(ce que je dois trouver)

5. Lina range ses cassettes de musique. Elle remplit 2 tiroirs de 12 cassettes dans
un coffret et 3 tiroirs de 10 cassettes dans un autre coffret. Il lui reste 5 cassettes
pour lesquelles elle n'a pas trouvé de place. Combien Lina a-t-elle de cassettes ?

....
(ce que je dois trouver)

$2 \times 12 = 24$	$3 \times 10 = 30$	$\begin{array}{r} 24 \\ +30 \\ +5 \\ \hline 59 \end{array}$

6. Ce soir, Rachel reçoit 7 amis. Elle leur a préparé 8 sandwichs aux oeufs, 4 au
jambon et 4 au fromage. Comme elle a coupé chacun des sandwichs en 4,
combien de morceaux pourra manger chaque personne ?

....
(ce que je dois trouver)

29

Consignes:

a) Lis chaque problème au moins 2 fois.
b) Écris sur le pointillé ce que tu dois trouver.
c) Fais un crochet dans la case correspondant à la bonne opération.

---

1. Chaque semaine, Anne-Marie lit un roman de **90** pages et une bande dessinée de **48** pages. Combien cela lui fait-il de pages de lecture ?

| 90 | + | 48 | = ? | ☐ |
| 90 | – | 48 | = ? | ☐ |

....
(ce que je dois trouver)

---

2. Cette semaine, Étienne a emprunté un livre de **228** pages. Il en a lu **112** pages jusqu'à présent. Combien de pages lui reste-t-il à lire ?

| 228 | + | 112 | = ? | ☐ |
| 228 | – | 112 | = ? | ☐ |

....
(ce que je dois trouver)

---

3. Éloïse a remarqué que les pages de son livre ont toutes **23** lignes et que chaque ligne a presque toujours **9** mots. Combien cela fait-il de mots dans une page ?

| 23 | + | 9 | = ? | ☐ |
| 23 | x | 9 | = ? | ☐ |

....
(ce que je dois trouver)

---

4. L'album emprunté par Paulette a **52** pages. Seulement **12** pages sont illustrées par des photos. Combien de pages ne sont pas illustrées par des photos ?

| 52 | + | 12 | = ? | ☐ |
| 52 | – | 12 | = ? | ☐ |

....
(ce que je dois trouver)

---

5. J'ai choisi un livre de devinettes et de blagues. Les devinettes sont numérotées de **1** à **145** et les blagues de **1** à **227**. Combien cela fait-il de blagues et de devinettes ?

| 227 | + | 145 | = ? | ☐ |
| 227 | – | 145 | = ? | ☐ |

....
(ce que je dois trouver)

Consignes:

a) Lis chaque problème au moins 2 fois.
b) Écris sur le pointillé ce que tu dois trouver.
c) Fais un crochet dans la case correspondant à la bonne opération.

---

6. L'année dernière, je pouvais lire 60 pages par semaine; cette année, je peux en lire 95. Combien de pages de plus par semaine suis-je capable de lire cette année?

95	+	60	= ? ☐
95	–	60	= ? ☐

....
(ce que je dois trouver)

---

7. Amélie a découvert un livre qui contient 100 belles chansons. Si elle apprend à en chanter 5 par semaine, combien en saura-t-elle au bout de 10 semaines ?

10	+	5	= ? ☐
10	x	5	= ? ☐

....
(ce que je dois trouver)

---

8. Éric fait une grille de mots croisés. Il a 15 questions pour les lignes horizontales et 18 pour les lignes verticales. À combien de questions devra-t-il répondre ?

18	+	15	= ? ☐
18	x	15	= ? ☐

....
(ce que je dois trouver)

---

9. Antonine préfère les mots mystères. Elle s'est acheté un cahier de 120 grilles. Déjà elle a réussi à en résoudre 78. Combien de grilles lui reste-t-il à résoudre ?

120	+	78	= ? ☐
120	–	78	= ? ☐

....
(ce que je dois trouver)

---

10. Julien fait une page de nombres mystères. Il y a 24 additions pour chaque nombre mystère. S'il a trouvé 9 nombres mystères, combien a-t-il fait d'opérations ?

24	+	9	= ? ☐
24	x	9	= ? ☐

....
(ce que je dois trouver)

Consignes:

a) Lis chaque problème au moins 2 fois.
b) Écris sur le pointillé ce que tu dois trouver.
c) Écris le problème sous la forme d'une équation.

J'écris mon problème sous la forme d'une équation.

1. Lundi, papa a couru pendant 35 minutes et il a fait 18 minutes de gymnastique. Combien de minutes a-t-il consacrées à l'exercice physique lundi ?

   $$\underline{35} \ \oplus \ \underline{18} \ = \ \mathbf{?}$$

   ....
   (ce que je dois trouver)

2. Mon frère Robert regarde 38 minutes de télévision par jour. Ma soeur Rita en regarde 3 fois plus. Combien de minutes Rita passe-t-elle devant le téléviseur ?

   $$\underline{\quad} \ \bigcirc \ \underline{\quad} \ = \ \mathbf{?}$$

   ....
   (ce que je dois trouver)

3. Les élèves ont 75 minutes pour aller dîner à la maison. Le cours d'éducation physique dure 56 minutes. Combien de minutes de différence y a-t-il entre les deux ?

   $$\underline{\quad} \ \bigcirc \ \underline{\quad} \ = \ \mathbf{?}$$

   ....
   (ce que je dois trouver)

4. 12 élèves ont réussi à jongler 5 minutes avec 3 balles. 4 d'entre eux sont parvenus à jongler 3 fois plus longtemps avec 2 balles. Quel fut leur temps avec 2 balles ?

   $$\underline{\quad} \ \bigcirc \ \underline{\quad} \ = \ \mathbf{?}$$

   ....
   (ce que je dois trouver)

5. Judith a pris 47 secondes pour courir autour du gymnase alors que Marion a pris 18 secondes de moins qu'elle. Combien de temps Marion a-t-elle pris ?

   $$\underline{\quad} \ \bigcirc \ \underline{\quad} \ = \ \mathbf{?}$$

   ....
   (ce que je dois trouver)

Consignes:

a) Lis chaque problème au moins 2 fois.
b) Écris sur le pointillé ce que tu dois trouver.
c) Écris le problème sous la forme d'une équation.

J'écris mon problème sous la forme d'une équation.

6. **Les 2 murs les plus courts du gymnase font ensemble 30 mètres et les 2 murs les plus longs, 55 mètres. Quelle est la longueur du périmètre du gymnase ?**

___ ◯ ___ = ?

....
(ce que je dois trouver)

7. **Le plafond du gymnase est 2 fois plus haut que le plafond d'une classe qui est, lui, à 280 cm du sol. Calcule donc la hauteur du plafond du gymnase.**

___ ◯ ___ = ?

....
(ce que je dois trouver)

8. **Le plancher du gymnase est recouvert de 4 500 tuiles. 1 200 tuiles sont de couleur verte et les autres sont de couleur grise. Combien y a-t-il de tuiles grises ?**

___ ◯ ___ = ?

....
(ce que je dois trouver)

9. **Les murs de la classe sont en blocs de béton. Du plancher au plafond, on compte 14 rangs de blocs. Chaque bloc a 20 cm de haut. Calcule la hauteur des murs.**

___ ◯ ___ = ?

....
(ce que je dois trouver)

10. **Les 97 élèves de 4e année vont au gymnase dans la matinée. Les 56 élèves de 5e année y vont en après-midi. Combien d'élèves vont au gymnase aujourd'hui ?**

___ ◯ ___ = ?

....
(ce que je dois trouver)

Consignes:

a) Lis chaque problème au moins 2 fois.
b) Écris sur le pointillé ce que tu dois trouver.
c) Écris les opérations dans l'ordre.

---

1. **(Exemple)** Ruth s'achète de nouveaux vêtements: un pantalon à 36 $, un chandail à 18 $ et des souliers à 34 $. Quelle monnaie la caissière lui remettra-t-elle si elle paie avec un billet de 100 $?

1. Somme des achats	36 + 18 + 34 = 88
2. Différence entre le coût et l'argent remis à la caissière.	100 – 88 = 12

....

....
(ce que je dois trouver)

2. Pendant nos vacances, nous avons voyagé en famille. Nous avons fait 250 km pour aller à Québec et 2 fois plus de km pour aller à Gaspé. Combien avons-nous fait de km en tout ?

1.

2.

....

....
(ce que je dois trouver)

3. Cette année, la voiture de papa a consommé 135 litres d'essence de moins que celle de maman. Comme celle de maman a consommé 430 litres, calcule la consommation totale des 2 voitures.

1.

2.

....

....
(ce que je dois trouver)

4. Frédéric fête ses 10 ans. Curieux, il demande à son institutrice de lui dire son âge. Elle lui répond: "J'ai 5 fois ton âge moins l'âge de mon chat qui a 13 ans." Quel est l'âge de l'institutrice de Frédéric ?

1.

2.

....

....
(ce que je dois trouver)

34

Consignes:

a) Lis chaque problème au moins 2 fois.
b) Écris sur le pointillé ce que tu dois trouver.
c) Écris les opérations dans l'ordre.

5. Grâce à son travail de camelot, Viateur économise 22 $ par semaine. Il a actuellement 88 $ en banque. Aura-t-il assez d'argent après une autre semaine d'économie pour s'acheter un baladeur de 85 $ et une cassette de 18 $?

   1.
   2.
   3.

   ....
   ....
   (ce que je dois trouver)

6. André et Louis participent à un bercethon au bénéfice des louveteaux. Les commanditaires paient 2 $ par heure passée à se bercer. André s'est bercé pendant 8 heures et Louis, pendant 6 heures. Quel montant recueilleront-ils ?

   1.
   2.
   3.

   ....
   ....
   (ce que je dois trouver)

7. Au premier arrêt, 48 personnes occupaient tous les sièges de l'autobus. Au second arrêt, 15 personnes descendirent et 8 nouveaux passagers montèrent. Combien reste-t-il de places libres dans l'autobus ?

   1.
   2.
   3.

   ....
   ....
   (ce que je dois trouver)

8. Samedi dernier, pour assister à la pièce de théâtre au centre culturel de notre quartier, 125 adultes ont payé 5 $ et 76 enfants ont payé 2 $. Quel montant cela a-t-il rapporté ?

   1.
   2.
   3.

   ....
   ....
   (ce que je dois trouver)

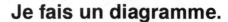

Je fais un diagramme.

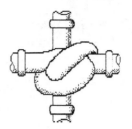

Consignes:

a) Lis chaque problème au moins 2 fois.
b) Écris sur le pointillé ce que tu dois trouver.
c) Complète le diagramme suggéré pour répondre aux questions.

---

1. Voici les résultats d'une enquête auprès des élèves de 4ᵉ année: 22 élèves préfèrent les pommes, 11, les oranges, 12, les cerises, 16, les bananes, 8, le raisin, 6, le kiwi et 13, une autre sorte de fruit. Complète le tableau qu'ils ont commencé à préparer pour le journal de l'école.

Les fruits préférés des élèves de 4ᵉ

pomme	☺ ☺ ☺ ☺ ☺ ☺ ☺ ☺ ☺ ☺ ☺
orange	☺ ☺ ☺ ☺ ☺ ☺
cerise	
banane	
raisin	
kiwi	
autres	

☺ = 2 élèves

a) Quel est le fruit préféré des élèves de 4ᵉ année ?

....

b) Quel fruit de la liste est choisi par le moins grand nombre d'élèves ?

....

c) Combien d'élèves de plus préfèrent les pommes aux cerises ?

....

d) Quel fruit est préféré par 2 fois plus d'élèves que ceux qui ont choisi le raisin ?

....

---

2. Voici les résultats d'une autre enquête. Celle-là portait sur leurs repas préférés. 30 élèves préfèrent le spaghetti, 12 la pizza, 26 le poulet, 10 le pâté chinois, 4 le hot-dog, 2 le poisson et 4 le boeuf haché. Complète leur graphique.

Les repas préférés des élèves de 4ᵉ année

	4	8	12	16	20	24	28	32
spaghetti	▨	▨	▨	▨	▨	▨	▨	
pizza	▨	▨	▨					
poulet								
pâté chinois								
hot-dog								
poisson								
boeuf haché								
Nombre d'élèves->	4	8	12	16	20	24	28	32

a) Quel est le repas préféré des élèves de 4ᵉ ?

....

b) Quel repas est apprécié par le moins d'élèves ?

....

c) Quels repas sont choisis par le même nombre d'élèves ?

....

d) Combien d'élèves de plus préfèrent le poulet à la pizza ?

....

36

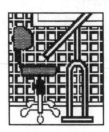

Consignes:

a) Lis chaque problème au moins 2 fois.
b) Écris sur le pointillé ce que tu dois trouver.
c) Complète le diagramme suggéré pour répondre aux questions.

3. Il y a 88 élèves en 4e année et voici leur choix d'activités pour le carnaval d'hiver. 22 élèves ont choisi le patin, 26 élèves ont choisi la glissade, 5 élèves ne peuvent faire aucune activité et les autres feront du patin et de la glissade. Combien d'élèves feront les 2 activités(patin + glissade) ?

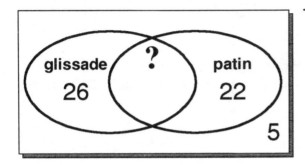

(ce que je dois trouver)

Équations: 22 + 26 + 5 = ?

88 — ☐ = ?

Réponse: _____ élèves.

4. Jocelyne compile les résultats du tournoi de hockey. L'équipe des bleus a eu 2 victoires, 3 défaites et une partie nulle; l'équipe des rouges a eu 4 victoires, une défaite et une partie nulle; les équipes des jaunes et des verts ont eu les mêmes résultats: 3 victoires, une défaite et 2 parties nulles.

Équipes	Victoires	Défaites	Nulles	Total
Bleus	2	3	1	
Rouges				
Jaunes				
Verts				

a) Combien chaque équipe a-t-elle joué de parties ?

....

b) Sachant que chaque équipe a joué 2 fois contre chacune des autres équipes, combien de parties de hockey ont été jouées durant ce tournoi ?

....

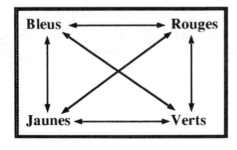

Consignes:

a) Lis chaque problème au moins 2 fois.
b) Écris sur le pointillé ce que tu dois trouver.
c) Encercle la réponse la plus près du
   résultat attendu.

1. Louison fabrique des muffins aux carottes. Elle en a 2 plateaux de 12 qui refroi-
   dissent sur la table et 2 plateaux de 12 en train de cuire dans le four. Combien
   cela lui fera-t-il de muffins ?

   | 25 | 50 | 75 |

   ....
   (ce que je dois trouver)

2. Avec l'aide de ma grand-mère, nous avons préparé quelques petites sucreries
   pour Pâques. Paul a fabriqué 27 oeufs en chocolat et Henri en a fabriqué 12 de
   plus. Combien Henri en a-t-il fabriqué ?

   | 20 | 30 | 40 |

   ....
   (ce que je dois trouver)

3. Pendant les vacances de Noël, Émile a lu un livre de contes qui avait 136 pages .
   Jean-Paul en a lu un qui avait 40 pages de moins. Combien de pages avait le livre
   de Jean-Paul ?

   | 80 | 100 | 120 |

   ....
   (ce que je dois trouver)

4. Pendant la semaine du livre, certains élèves de 4e ont participé à un concours de
   rapidité en lecture. Raoul a montré qu'il peut lire 26 pages d'un roman dans une
   heure. Combien de pages peut-il lire en 4 heures ?

   | 100 | 125 | 150 |

   ....
   (ce que je dois trouver)

5. D'autre élèves ont voulu vérifier leur rapidité en écriture. En 4e, la championne a
   été Nadia. Elle a pu écrire 10 mots à la minute pendant une heure. Combien de
   mots a-t-elle réussi à écrire ?

   | 400 | 500 | 600 |

   ....
   (ce que je dois trouver)

J'estime un résultat.

Consignes:

a) Lis chaque problème au moins 2 fois.
b) Écris sur le pointillé ce que tu dois trouver.
c) Encercle la réponse la plus près du résultat attendu.

---

6. Cette semaine, le montant des articles achetés à l'épicerie s'élève à 78 $. Maman remet 2 billets de 50 $ à la caissière. Combien d'argent celle-ci remettra-t-elle à maman ?

   | 5$ | 25$ | 50$ |

   ....
   (ce que je dois trouver)

7. Michel et Valérie comparent leur collection de collants. Michel a mis 20 collants sur chacune des 20 pages de son album. Valérie en a mis 30 sur chacune des 10 pages de son album. Combien Michel a-t-il de collants de plus que Valérie ?

   | 0 | 50 | 100 |

   ....
   (ce que je dois trouver)

8. Thomas veut s'acheter une super bicyclette pour l'été prochain. Cette bicyclette coûte 380 $. Il a déjà ramassé 190 $. Combien lui manque-t-il encore pour pouvoir en faire l'achat ?

   | 100$ | 200$ | 300$ |

   ....
   (ce que je dois trouver)

9. Comme cadeau d'anniversaire, Amélia a donné à papa 2 coffrets pour ranger ses disques compacts. Chaque coffret peut contenir 60 disques. Lorsque papa aura rangé ses 80 disques, combien pourra-t-il encore en placer ?

   | 20 | 40 | 60 |

   ....
   (ce que je dois trouver)

10. Chaque matin, au moment de la collation, les 30 élèves de la classe de 4e année boivent chacun un berlingot de 200 ml de lait. Combien cela fait-il de ml en tout pour les 30 élèves ?

    | 5 000 | 10 000 | 20 000 |

    ....
    (ce que je dois trouver)

Activités de résolution de problèmes

Module 3

Je résous les problèmes
et
j'évalue les solutions.

Consignes:

a) Lis chaque problème au moins 2 fois.
b) Écris sur le pointillé ce que tu dois trouver.
c) Résous l'équation (ou les équations) et
   inscris la réponse.

1. Dans les 3 classes de 4e année, on a décidé de mettre des protecteurs sous chacun des 4 pieds des pupitres d'élèves. Comme il y a 30 pupitres dans chaque classe, combien devra-t-on installer de protecteurs ?

Équation(s)	Calcul(s)
30 pupitres -- 4 pieds -- 3 classes	
(30 x 4) x 3 = ?	

....
(ce que je dois trouver)

Réponse:_____ protecteurs

2. On prévoit accueillir l'an prochain 91 élèves en 4e année, 88 élèves en 5e année et 85 élèves en 6e année. Combien cela fera-t-il d'élèves en tout au 2e cycle l'année prochaine ?

Équation(s)	Calcul(s)
4e = 91 ; 5e = 88 ; 6e = 85	
91 + 88 + 85 = ?	

....
(ce que je dois trouver)

Réponse:_____ élèves

3. Guillaume vient de réussir un casse-tête de 625 pièces. Jean-Simon en complète un autre de 1 275 pièces. À eux deux, combien de pièces de casse-tête ont-ils réussi à placer ?

Équation(s)	Calcul(s)
Guillaume -> 625 pièces	
Jean-Simon -> 1275 pièces	
1 275 + 625 = ?	

....
(ce que je dois trouver)

Réponse:_____ pièces

4. Plusieurs amies découvrent le plaisir d'avoir une collection. Josée a 18 statuettes d'animaux en porcelaine. Anne-Marie en a le double et Sonia le triple. Combien Anne-Marie et Sonia ont-elles de statuettes ensemble ?

Équation(s)	Calcul(s)
Anne-Marie = 2 x Josée	
Sonia = 3 x Josée	
(2 x 18) + (3 x 18) = ?	

....
(ce que je dois trouver)

Réponse:_____ statuettes

> **Consignes:**
>
> a) Lis chaque problème au moins 2 fois.
> b) Écris sur le pointillé ce que tu dois trouver.
> c) Résous l'équation (ou les équations) et
>   inscris la réponse.

5. **Dimanche, la famille Bertrand a soupé au restaurant. Papa a pris un repas de poulet à 8 $, maman a pris un spaghetti à 6 $ et Julia a pris une pizza à 4 $. Papa a payé avec un billet de 50 $. Combien lui a remis la serveuse?**

Équation(s)	Calcul(s)
poulet 8$ -- spaghetti 6$ -- pizza 4$ **$50 - (8 + 6 + 4) = ?$**	

....
(ce que je dois trouver)

Réponse:_____ $

6. **Il y a 10 jours, Jérémie a préparé des semis et planté 300 graines de fleurs. Après vérification, il a constaté que 227 graines ont germé et donné de petites pousses. Combien de graines n'ont pas germé?**

Équation(s)	Calcul(s)
300 graines plantées 227 graines germées **$300 - 227 = ?$**	

....
(ce que je dois trouver)

Réponse:_____ graines

7. **Josée veut se faire des confitures. Elles est donc allée cueillir des fraises. Elle en a cueilli 5 paniers d'un kilogramme. Si le fermier demande 2 $ les 500 grammes, combien Josée paiera-t-elle ses fraises?**

Équation(s)	Calcul(s)
5 paniers de 1kg -- 1kg = 2 x 500 g 500 g ->2$ ---- 1kg -> 2 x 2$ **$5 \times 2 \times 2 = ?$**	

....
(ce que je dois trouver)

Réponse:_____ $

8. **À bicyclette, je roule à 12 km/h sur la nouvelle piste cyclable qui ceinture mon quartier. Si je fais 2 heures de bicyclette par jour, combien de kilomètres pourrai-je parcourir en une semaine?**

Équation(s)	Calcul(s)
12 km/h -- 2 h par jour 7 jours = 1 semaine **$7 \times 2 \times 12 = ?$**	

....
(ce que je dois trouver)

Réponse:_____ km

Consignes:
a) Lis chaque problème au moins 2 fois.
b) Écris sur le pointillé ce que tu dois trouver.
c) Indique par un crochet si la réponse
   suggérée est valable ou non valable.
Attention! L'équation suggérée n'est peut-être pas valable!

Je vérifie la valeur de ma réponse.

1. Mélie avait 72 macarons. Elle en a donné 28 à son ami Pierre. Son oncle André a donc décidé de lui donner les siens. Cela a fait doubler le nombre de macarons qu'il restait à Mélie. Combien a-t-elle de macarons maintenant ?

Équation suggérée	(ce que je dois trouver)
$(72 - 28) \times 2 = ?$	**La réponse suggérée est**
Réponse suggérée: 88 macarons	valable ☐ non valable ☐

2. J'ai 2 sacs de bonbons. Dans le premier, j'ai 12 bonbons et dans l'autre, j'en ai 8. J'ai 4 amis et je veux donner à chacun le même nombre de bonbons. Combien chacun de mes amis recevra-t-il de bonbons ?

Équation suggérée	(ce que je dois trouver)
$(12 \times 4) \div 4 = ?$	**La réponse suggérée est**
Réponse suggérée: 12 bonbons	valable ☐ non valable ☐

3. Voici une petite devinette pour les personnes les plus futées: j'ai dans mon local 3 tables à 3 pieds. Combien ai-je de chaises à 4 pieds si je puis compter 45 pieds sur le plancher ?

Équation suggérée	(ce que je dois trouver)
$[45 - (3 \times 3)] \div 4 = ?$	**La réponse suggérée est**
Réponse suggérée: 9 chaises	valable ☐ non valable ☐

4. Je regarde à la loupe un insecte qui mesure 4 mm. Comme ma loupe grossit 40 fois, quelle longueur a l'insecte vu à travers la loupe ?

Équation suggérée	(ce que je dois trouver)
$4 \times 40 \div 10 = ?$	**La réponse suggérée est**
Réponse suggérée: 16 cm	valable ☐ non valable ☐

5. Chez moi, les écureuils aiment courir sur les fils électriques. Il y a 75 mètres entre chaque poteau. Si l'écureuil part du poteau dans ma cour et se rend 8 poteaux plus loin, quelle distance aura-t-il parcourue ?

Équation suggérée

$75 + 8 = ?$

Réponse suggérée: 83 mètres

....
(ce que je dois trouver)

La réponse suggérée est

valable ☐
non valable ☐

6. Papa a décidé de clôturer notre terrain sur 3 de ses côtés. Le premier des côtés mesure 22 mètres, le second mesure 18 mètres et le 3e côté mesure 24 mètres. Quelle longueur de clôture papa devra-t-il installer ?

Équation suggérée

$22 + 18 + 24 = ?$

Réponse suggérée: 640 mètres

....
(ce que je dois trouver)

La réponse suggérée est

valable ☐
non valable ☐

7. Samuel habite dans un édifice de 8 étages. Entre chaque étage, il y a un escalier de 36 marches. Or Samuel habite au 6e étage. Calcule le nombre de marches que Samuel doit monter pour aller à son appartement.

Équation suggérée

$36 \times 6 = ?$

Réponse suggérée: 216 marches

....
(ce que je dois trouver)

La réponse suggérée est

valable ☐
non valable ☐

8. La maman d'Élisa vient de s'acheter une automobile neuve. Le prix d'achat était de 12 450,50 $, les frais de préparation de 500,00 $ et la taxe de 1 750,75 $. Combien a-t-elle dû débourser en tout pour acquérir cette voiture ?

Équation suggérée

$12\ 450,50 + 500,00 + 1\ 750,75 = ?$

Réponse suggérée: 14 701,25 $

....
(ce que je dois trouver)

La réponse suggérée est

valable ☐
non valable ☐

Consignes:

a) Lis chaque problème au moins 2 fois.
b) Écris sur le pointillé ce que tu dois trouver.
c) Indique si la résolution est complète ou partielle.

Je vérifie si la solution est complète ou partielle.

1. Jonathan a préparé un grand pichet de 2 litres de boisson aux raisins. S'il en verse 200 millilitres dans chaque verre, peut-il remplir 2 fois son verre et celui de ses 4 amis ?

Équation(s) suggérée(s)

$200 + 200 + 200 + 200 + 200 = 1\ 000$ ml
$2 \times 1\ 000 = 2\ 000$ ml $= 2$ l
Réponse suggérée: Oui, il le peut.

....
(ce que je dois trouver)

La réponse suggérée est

complète ☐
non complète ☐

2. Les élèves des 3 classes de 4e année ont installé une banderole qui couvre le haut des 4 murs de leurs classes. Chacun des murs mesure 9 mètres. Quelle est la longueur de papier utilisé pour les 3 banderolles ?

Équation(s) suggérée(s)

$4 \times 9 = 36$

Réponse suggérée: 36 mètres

....
(ce que je dois trouver)

La réponse suggérée est

complète ☐
non complète ☐

3. La fruiterie de notre quartier a donné à l'école 5 caisses contenant chacune 64 clémentines. Sachant qu'il y a 300 élèves dans notre école, y aura-t-il suffisamment de clémentines pour que chacun en reçoive une ?

Équation(s) suggérée(s)

$64 \times 5 = 320$
$320 > 300$
Réponse suggérée: Oui, cela suffira.

....
(ce que je dois trouver)

La réponse suggérée est

complète ☐
non complète ☐

4. En arts plastiques, les 30 élèves de Jean ont fabriqué des figurines en terre glaise. Si chaque élève a utilisé 150 g de glaise, quelle a été la quantité totale utilisée et qu'est-il resté du bloc de 5 kg de terre glaise dont on disposait au départ ?

Équation(s) suggérée(s)

$30 \times 150 = 4\ 500$

Réponse suggérée: 4 500 g

....
(ce que je dois trouver)

La réponse suggérée est

complète ☐
non complète ☐

Consignes:

a) Lis chaque problème au moins 2 fois.
b) Écris sur le pointillé ce que tu dois trouver.
c) Indique si la résolution est complète ou partielle.

---

5. Dans un restaurant de 124 places, on a réservé 15 tables aux non-fumeurs. En sachant qu'il y a 4 places par table, combien a-t-on gardé de tables pour les fumeurs ?

Équation(s) suggérée(s)

4 x 15 = 60 --- 124 – 60 = 64

Réponse suggérée: 64 places pour fumeurs

....
(ce que je dois trouver)

La réponse suggérée est

complète ☐
non complète ☐

---

6. Notre équipe de hockey a remporté 12 victoires, subi 5 défaites et a dû se contenter de 3 parties nulles. Sachant qu'une victoire vaut 2 points, une défaite 0 point et une nulle un point, avons-nous dépassé 30 points au classement général ?

Équation(s) suggérée(s)

(2 x 12) + (3 x 1) = 27   ----   27 < 30

Réponse suggérée: Non, pas encore.

....
(ce que je dois trouver)

La réponse suggérée est

complète ☐
non complète ☐

---

7. Voici le choix de nos élèves du 2e cycle pour le carnaval d'hiver: 69 ont choisi le ski alpin, 84 ont choisi le ski de randonnée et 27 élèves ont choisi la raquette. Combien d'élèves préfèrent le ski de randonnée au ski alpin ?

Équation(s) suggérée(s)

84 – 69 = 15

Réponse suggérée: 15 élèves

....
(ce que je dois trouver)

La réponse suggérée est

complète ☐
non complète ☐

---

8. 84 élèves de 4e année ont visité le musée des sciences. Ils étaient accompagnés de leurs 3 titulaires et de la directrice. Sachant qu'une entrée d'enfant coûte 2 $ et qu'une entrée d'adulte coûte 5 $, quel fut le coût total de cette visite ?

Équation suggérée

2 x 84 = 168 $ ----   4 x 5 = 20 $

Réponse suggérée: 168 $

....
(ce que je dois trouver)

La réponse suggérée est

complète ☐
non complète ☐

Activités de résolution de problèmes

Module 4

Je généralise ma démarche

Je solutionne des problèmes semblables.

Consignes:

a) Lis chaque problème au moins 2 fois.
b) Écris sur le pointillé ce que tu dois trouver.
c) Résous chaque problème.

1. Mireille se fabrique un collier de 28 perles bleues, 19 perles rouges et 14 perles jaunes. Madeleine s'en fait un de 24 perles bleues, 24 perles rouges et 10 perles jaunes. Laquelle des 2 a le plus de perles à son collier ?

Ma démarche, mes équations, mes calculs.

....
....
(ce que je dois trouver)

Réponse:_____

2. Hubert fabrique un collier pour sa maman. Il veut y mettre 2 fois plus de perles rouges que de perles bleues et 3 fois plus de perles bleues que de perles jaunes. S'il utilise 8 perles jaunes, combien de perles en tout formeront ce collier ?

Ma démarche, mes équations, mes calculs.

....
....
(ce que je dois trouver)

Réponse:_____

3. Sonia avait acheté une boîte de 300 perles rouges, une boîte de 200 perles bleues et une boîte de 100 perles jaunes. Il reste 56 perles rouges, 33 perles bleues et 9 perles jaunes. Combien de perles ont été utilisées ?

Ma démarche, mes équations, mes calculs.

....
....
(ce que je dois trouver)

Réponse:_____

Consignes:

a) Lis chaque problème au moins 2 fois.
b) Écris sur le pointillé ce que tu dois trouver.
c) Résous chaque problème.

4. Daniel est le plus rapide de notre groupe pour fabriquer un collier, il peut enfiler 5 perles en une minute. Toutefois, au bout de 60 minutes aura-t-il eu assez de temps pour enfiler les perles de 3 colliers de 115 perles chacun ?

Ma démarche, mes équations, mes calculs.

....

....
(ce que je dois trouver)

Réponse:_____

5. Simon veut enfiler les perles d'un collier en suivant un agencement précis: 2 perles rouges suivies d'une perle bleue suivie d'une perle jaune [RRBJ]. S'il répète cet agencement 16 fois, combien utilisera-t-il de perles ?

Ma démarche, mes équations, mes calculs.

....

....
(ce que je dois trouver)

Réponse:_____

6. Vicky range ses perles dans un coffret dont chaque casier peut contenir jusqu'à 20 perles de la même couleur. Combien de casiers devra-t-elle alors utiliser pour ranger ses 90 perles rouges, ses 55 perles bleues et ses 43 perles jaunes ?

Ma démarche, mes équations, mes calculs.

....

....
(ce que je dois trouver)

Réponse:_____

Consignes:

a) Lis chaque problème au moins 2 fois.
b) Écris sur le pointillé ce que tu dois trouver.
c) Résous chaque problème.

7. Jasmine célèbre son anniversaire aujourd'hui. Elle m'a dit: "Mon âge est égal à 3 fois l'âge de Rita moins l'âge d'Adrien." Quel est l'âge de Jasmine si Rita a 9 ans et Adrien 15 ans ?

Ma démarche, mes équations, mes calculs.

....

....
(ce que je dois trouver)

Réponse:_____

8. Simone a invité 8 de ses amis à son souper d'anniversaire. Il y a un plateau de 12 sandwichs coupés en 4 morceaux. Combien restera-t-il de morceaux si Simon et ses amis mangent chacun 5 morceaux ?

Ma démarche, mes équations, mes calculs.

....

....
(ce que je dois trouver)

Réponse:_____

9. René aime jouer aux devinettes. Il m'a donc demandé de trouver sa date de naissance, mais il ne m'a donné qu'un seul indice: "Je suis né le 141e jour de l'année 1987." Aide-moi.

Ma démarche, mes équations, mes calculs.

....

....
(ce que je dois trouver)

Réponse:_____

Consignes:

a) Lis chaque problème au moins 2 fois.
b) Écris sur le pointillé ce que tu dois trouver.
c) Résous chaque problème.

10. Martine fête aujourd'hui ses 10 ans. Grand-papa lui dit: "Tu es encore bien jeune. Moi, j'ai vécu 660 mois." Trouve l'âge de Martine en mois et aussi combien de mois elle a vécu de moins que son grand-papa.

Ma démarche, mes équations, mes calculs.

....

....
(ce que je dois trouver)

Réponse:_____

11. Maman a coupé mon gâteau d'anniversaire en 12 morceaux. Si nous avons tous eu droit à un morceau et qu'il est resté ¼ du gâteau, trouve combien nous étions à en manger.

Ma démarche, mes équations, mes calculs.

....

....
(ce que je dois trouver)

Réponse:_____

12. Sur le gâteau d'anniversaire de ma soeur Camilla, grand-maman a placé 1/3 d'une boîte de 24 bougies. Sachant que chaque bougie correspond à un an, trouve l'âge de ma soeur Camilla.

Ma démarche, mes équations, mes calculs.

....

....
(ce que je dois trouver)

Réponse:_____

Consignes:

a) Lis chaque problème au moins 2 fois.
b) Écris sur le pointillé ce que tu dois trouver.
c) Résous chaque problème.

13. À la piscine municipale, les garçons occupent les cases 154 à 203 (y compris les cases 154 et 203); dans l'autre salle, les filles occupent les cases 327 à 373 (y compris les cases 327 et 373). Combien y a-t-il d'élèves de 4e année à la piscine ?

Ma démarche, mes équations, mes calculs.

....

....
(ce que je dois trouver)

Réponse:_____

14. Daniel a rangé son linge dans une case numérotée 159. Son ami Donald occupe une case dont le numéro est supérieure au sien et cela avec un écart de 43. Quel est le numéro de case de Donald ?

Ma démarche, mes équations, mes calculs.

....

....
(ce que je dois trouver)

Réponse:_____

15. À 9 h 30, on explique aux élèves qu'ils disposent de 95 minutes pour se baigner, prendre leur douche et se changer. Après cela, ils devront regagner leur autobus. À quelle heure précise devront-ils être à leur autobus ?

Ma démarche, mes équations, mes calculs.

....

....
(ce que je dois trouver)

Réponse:_____

Consignes:

a) Lis chaque problème au moins 2 fois.
b) Écris sur le pointillé ce que tu dois trouver.
c) Résous chaque problème.

16. Véronique est une excellente nageuse. Elle a fait 7 fois de suite la longueur de la piscine. Comme cette piscine mesure 50 mètres de long, quelle distance a-t-elle nagée ?

Ma démarche, mes équations, mes calculs.

....

....
(ce que je dois trouver)

Réponse:_____

17. Pour chaque mètre nagé, Francis fait toujours 3 mouvements de pieds. Combien de mouvements de pieds fait-il lorsqu'il nage la longueur aller-retour d'une piscine de 50 mètres ?

Ma démarche, mes équations, mes calculs.

....

....
(ce que je dois trouver)

Réponse:_____

18. Fernande peut nager pendant 1/2 minute sous l'eau alors que Marie-Carmen peut le faire pendant 1/3 de minute. Indique, en secondes, la différence de capacité des 2 amies.

Ma démarche, mes équations, mes calculs.

....

....
(ce que je dois trouver)

Réponse:_____

Consignes:

a) Lis chaque problème au moins 2 fois.
b) Écris sur le pointillé ce que tu dois trouver.
c) Résous chaque problème.

19. **Avant le repas, 3 pichets d'un litre chacun de limonade avaient été placés sur les tables. Après le repas, il restait 125 ml dans un des pichets, 190 ml dans un autre et 350 ml dans le dernier. Quelle quantité de limonade a été servie ?**

Ma démarche, mes équations, mes calculs.

....

....
(ce que je dois trouver)

Réponse:_____

20. **Denise prend 5 lunchs par semaine et elle les accompagne de berlingots de jus de raisin. Quelle quantité hebdomadaire de jus boit-elle si elle prend 2 berlingots de 250 ml à chacun de ses lunchs ?**

Ma démarche, mes équations, mes calculs.

....

....
(ce que je dois trouver)

Réponse:_____

21. **Louis aime l'eau réfrigérée en bouteille. Il en consomme 36 bouteilles de 18 litres par année. Sachant que chaque bouteille d'eau lui coûte 4 $, combien lui coûte sa consommation annuelle d'eau embouteillée ?**

Ma démarche, mes équations, mes calculs.

....

....
(ce que je dois trouver)

Réponse:_____

Consignes:

a) Lis chaque problème au moins 2 fois.
b) Écris sur le pointillé ce que tu dois trouver.
c) Résous chaque problème.

22. **Chez Maria-Noël, on remplit 8 grands verres avec un sac de lait. Or sa maman achète 3 paquets de 3 sacs de lait par semaine. Combien de verres de lait boit-on dans cette famille durant une semaine ?**

Ma démarche, mes équations, mes calculs.

....
....
(ce que je dois trouver)

Réponse:_____

23. **À l'école, c'est Henri qui arrose les fleurs. Dans chaque litre d'eau, il met 5 gouttes de vitamines liquides. Sachant qu'il utilise 10 litres d'eau par semaine, combien de gouttes de vitamines utilise-t-il en 40 semaines d'école ?**

Ma démarche, mes équations, mes calculs.

....
....
(ce que je dois trouver)

Réponse:_____

24. **Jacqueline a installé un aquarium de 25 litres dans sa classe. Comme il y a de l'évaporation, elle rajoute 200 ml d'eau chaque semaine. Combien de litres d'eau aura-t-elle rajoutés au bout de 10 semaines ?**

Ma démarche, mes équations, mes calculs.

....
....
(ce que je dois trouver)

Réponse:_____

Consignes:

a) Lis chaque problème au moins 2 fois.
b) Écris sur le pointillé ce que tu dois trouver.
c) Résous chaque problème.

25. Si une abeille butineuse visite 100 fleurs dans un champ de trèfle à chacune de ses 5 sorties quotidiennes, combien de fleurs peut-elle visiter pendant les 100 jours de l'été ?

Ma démarche, mes équations, mes calculs.

....
....
(ce que je dois trouver)

Réponse:_____

26. S'il faut 10 minutes à 3 fourmis pour transporter une seule feuille de chêne à leur termitière, combien de feuilles de chêne 6 fourmis pourront-elles transporter en 3 heures ?

Ma démarche, mes équations, mes calculs.

....
....
(ce que je dois trouver)

Réponse:_____

27. Un écureuil gris a caché 843 glands à l'automne. Les précipitations de neige ayant été très abondantes, il ne parvient à en retrouver que 637 durant l'hiver. Combien de glands a-t-il perdus ?

Ma démarche, mes équations, mes calculs.

....
....
(ce que je dois trouver)

Réponse:_____

Consignes:

a) Lis chaque problème au moins 2 fois.
b) Écris sur le pointillé ce que tu dois trouver.
c) Résous chaque problème.

Je solutionne des problèmes semblables.

28. Le coyote peut atteindre une vitesse de 65 km/h alors que la girafe peut seulement atteindre une vitesse de 47 km/h. Si les 2 courent à leur vitesse maximale pendant 2 heures, combien de km de plus le coyote aura-t-il parcourus?

Ma démarche, mes équations, mes calculs.

....

....
(ce que je dois trouver)

Réponse:_____

29. Le guépard est certainement le mammifère terrestre le plus rapide, car il peut atteindre 120 km/h. Combien de mètres peut-il parcourir en 2 minutes à cette vitesse ? 2 min. 2min.

Ma démarche, mes équations, mes calculs.

4000 m = 1 /m = 2000m
2 m   4000 m.

....

....
(ce que je dois trouver)

Réponse:_____

30. Le faucon pèlerin est l'oiseau le plus rapide que l'on connaisse: il peut atteindre 200 km/h lorsqu'il pique sur sa proie. Combien de mètres parcourt-il à la seconde lorsqu'il atteint la vitesse de 180 km/h ?

Ma démarche, mes équations, mes calculs.

....

....
(ce que je dois trouver)

Réponse:_____

59

Consignes:

a) Lis chaque problème au moins 2 fois.
b) Écris sur le pointillé ce que tu dois trouver.
c) Résous chaque problème.

31. Le thon rouge peut mesurer 3 mètres de long mais le thon blanc seulement un mètre. Combien faudrait-il mettre de thons blancs bout à bout pour que cela fasse la longueur de 12 thons rouges ?

Ma démarche, mes équations, mes calculs.

....
....
(ce que je dois trouver)

Réponse:_____

32. Un éléphant a besoin de 50 kg de nourriture par jour. Combien de kg de nourriture un parc zoologique doit-il procurer à ses 2 éléphants sur une période d'une année complète ?

Ma démarche, mes équations, mes calculs.

....
....
(ce que je dois trouver)

Réponse:_____

33. Lorsqu'il devient adulte, le crocodile du Nil mesure 28 fois la longueur qu'il avait à sa naissance. Sachant qu'il a 25 cm de long à sa naissance, combien de mètres de long mesure-t-il devenu adulte ?

Ma démarche, mes équations, mes calculs.

....
....
(ce que je dois trouver)

Réponse:_____

Consignes:

a) Lis chaque problème au moins 2 fois.
b) Écris sur le pointillé ce que tu dois trouver.
c) Résous chaque problème.

Je solutionne des problèmes semblables.

34. **Trouve l'âge que peut atteindre l'ours brun. Son âge correspond à un nombre impair que je peux diviser sans reste par 3 et par 13. Ce nombre est inférieur à 50 mais il devient supérieur à 75 quand je le multiplie par 2.**

Ma démarche, mes équations, mes calculs.

....

....
(ce que je dois trouver)

Réponse:_____

35. **Trouve de combien de volts peuvent être les décharges qu'une anguille électrique peut envoyer. Cela correspond à un nombre supérieur à 100 mais inférieur à 300. Ce nombre peut se diviser sans reste par 10 et par 100.**

Ma démarche, mes équations, mes calculs.

....

....
(ce que je dois trouver)

Réponse:_____

36. **Trouve à combien de mètres au-dessus de l'eau peut s'élever un poisson volant. Cette hauteur correspond à 10 fois la longueur du bras d'Antoine. Sache que son bras mesure 50 cm.**

Ma démarche, mes équations, mes calculs.

....

....
(ce que je dois trouver)

Réponse:_____

Consignes:

a) Lis chaque problème au moins 2 fois.
b) Écris sur le pointillé ce que tu dois trouver.
c) Résous chaque problème.

37. **Paul-Émile m'a dit que le brochet peut nager à une vitesse supérieure à 25 km/h mais inférieure à 50 km/h. Il a ajouté que le nombre correspondant à sa vitesse peut se diviser sans reste par 4, par 5 et par 8. Quelle est la vitesse du brochet ?**

Ma démarche, mes équations, mes calculs.

....
....
(ce que je dois trouver)

Réponse:_____

38. **Sachant que la quantité de sang contenue dans le corps d'un cheval correspond à 1/20 de son poids, trouve le poids du sang qu'un cheval de 400 kg peut avoir dans son corps.**

Ma démarche, mes équations, mes calculs.

....
....
(ce que je dois trouver)

Réponse:_____

39. **À un kilomètre à l'heure près, quelle est la vitesse d'une mouche domestique qui vole entre 2 arbres de la cour de récréation et franchit cette distance en volant à 2 mètres à la seconde ?**

Ma démarche, mes équations, mes calculs.

....
....
(ce que je dois trouver)

Réponse:_____

Consignes:

a) Lis chaque problème au moins 2 fois.
b) Écris sur le pointillé ce que tu dois trouver.
c) Résous chaque problème.

40. Nathalie a découvert dans un livre de biologie que le squelette humain compte 206 os alors que le squelette du chat domestique en compte 39 de plus. Combien d'os y a-t-il donc dans un squelette de chat ?

Ma démarche, mes équations, mes calculs.

....
....
(ce que je dois trouver)

Réponse:_____

41. Dans un livre consacré aux insectes, Robert a découvert qu'une fourmi dort 3 heures par jour. Combien de minutes une fourmi passe-t-elle donc éveillée chaque jour ?

Ma démarche, mes équations, mes calculs.

....
....
(ce que je dois trouver)

Réponse:_____

42. Aide Mélanie à résoudre ce défi que lui a lancé son institutrice: combien d'années peut vivre une reine des fourmis en sachant que si elle naît aujourd'hui alors que tu as 9 ans, elle mourra lorsque tu auras 26 ans ?

Ma démarche, mes équations, mes calculs.

....
....
(ce que je dois trouver)

Réponse:_____

63

Consignes:

a) Lis chaque problème au moins 2 fois.
b) Écris sur le pointillé ce que tu dois trouver.
c) Résous chaque problème.

Je solutionne des problèmes semblables.

43. Dans une ruche, la reine des abeilles pond 2 000 oeufs chaque jour. Trouve donc la quantité totale d'oeufs qu'elle pond pendant les mois de juin, de juillet et d'août.

> **Ma démarche, mes équations, mes calculs.**

....
....
(ce que je dois trouver)

Réponse:_____

44. Les termites sont des fourmis aveugles qui vivent dans une termitière. Leur reine pond 36 000 oeufs par jour. Trouve le nombre de jours qu'il lui faut pour pondre 1 000 000 d'oeufs.

> **Ma démarche, mes équations, mes calculs.**

....
....
(ce que je dois trouver)

Réponse:_____

45. Évidemment les mammifères n'ont pas autant de petits. Toutefois une chatte a réussi à mettre au monde 2 douzaines de chatons par année durant 17 ans. Trouve le nombre total de chatons qu'elle a mis au monde en 17 ans.

> **Ma démarche, mes équations, mes calculs.**

....
....
(ce que je dois trouver)

Réponse:_____

Consignes:

a) Lis chaque problème au moins 2 fois.
b) Écris sur le pointillé ce que tu dois trouver.
c) Résous chaque problème.

46. Le gorille de l'Ouganda mesure 1,80 mètre alors que le singe le plus petit, le ouistiti mignon, mesure 15 centimètres. Combien faut-il de ouistitis les uns sur les autres pour atteindre la même hauteur que le gorille ?

Ma démarche, mes équations, mes calculs.

....

....
(ce que je dois trouver)

Réponse:_____

47. La chatte de Mélanie dort 14 heures par jour alors que Mélanie dort 10 heures par jour. Durant une période de 2 semaines, sa chatte dort combien d'heures de plus qu'elle ?

Ma démarche, mes équations, mes calculs.

....

....
(ce que je dois trouver)

Réponse:_____

48. C'est presque un record: le vieux chat de Jonathan dort 15 heures par jour alors que Jonathan, lui, dort 9 heures par jour. Combien de minutes par jour son chat dort-il de plus que lui ?

Ma démarche, mes équations, mes calculs.

....

....
(ce que je dois trouver)

Réponse:_____

Consignes:

a) Lis chaque problème au moins 2 fois.
b) Écris sur le pointillé ce que tu dois trouver.
c) Résous chaque problème.

Je solutionne des problèmes semblables.

49. Les oiseaux n'ont pas tous la même quantité de plumes. Le cygne siffleur a environ 25 000 plumes alors que le colibri à gorge rubis en a 938. Combien de plumes manque-t-il à 20 colibris pour en avoir autant qu'un cygne siffleur ?

Ma démarche, mes équations, mes calculs.

....

....
(ce que je dois trouver)

Réponse:_____

50. Les meilleures poules pondeuses sont de race "leghorn"; elles pondent 300 oeufs par an. Imagine que tu possèdes une douzaine de ces poules. Combien d'oeufs te donneraient-elles en tout chaque année ?

Ma démarche, mes équations, mes calculs.

....

....
(ce que je dois trouver)

Réponse:_____

51. Pendant les périodes de migration, certains oiseaux volent 8 heures par jour. Combien cela fait-il d'heures de vol pour un oiseau dont la période de migration est de 2 semaines ?

Ma démarche, mes équations, mes calculs.

....

....
(ce que je dois trouver)

Réponse:_____

Consignes:

a) Lis chaque problème au moins 2 fois.
b) Écris sur le pointillé ce que tu dois trouver.
c) Résous chaque problème.

Je solutionne des problèmes semblables.

52. La sterne parcourt 19 000 kilomètres 2 fois par année et elle peut voler 5 200 km sans escale. Combien de kilomètres ces 2 trajets lui font-elle parcourir dans une année ?

Ma démarche, mes équations, mes calculs.

....
....
(ce que je dois trouver)

Réponse:_____

53. La sarcelle vole à 110 km/h alors que l'alouette ne vole qu'à 40 km/h. Trouve le nombre de kilomètres que la sarcelle parcourt de plus que l'alouette en 5 heures de vol.

Ma démarche, mes équations, mes calculs.

....
....
(ce que je dois trouver)

Réponse:_____

54. La bécasse d'Amérique est l'oiseau le plus lent: sa vitesse est de 5 km/h. En 25 heures de vol, peut-elle parcourir les 65 kilomètres qui séparent le lac Rouge du lac Miranda ?

Ma démarche, mes équations, mes calculs.

....
....
(ce que je dois trouver)

Réponse:_____

Je solutionne des problèmes semblables.

55. Claude, le frère de Jules, fête aujourd'hui ses 4 ans. Trouve le nombre de mois et le nombre de jours vécus par Claude depuis sa naissance. Attention! les années n'ont pas toutes le même nombre de jours.

Ma démarche, mes équations, mes calculs.

....

....
(ce que je dois trouver)

Réponse:_____

56. Cette année, les vacances d'été commencent le 24 juin et se terminent le 30 août. En effet, l'école recommencera le 31 août. Calcule le nombre de jours de vacances d'été que tu auras pour te reposer de ton année scolaire.

Ma démarche, mes équations, mes calculs.

....

....
(ce que je dois trouver)

Réponse:_____

57. Diane est née un 29 février. (Comme tu le sais, les années bissextiles ne reviennent qu'aux 4 ans.) Si elle vit jusqu'à l'âge de 96 ans, combien de fois aura-t-elle fêté son anniversaire un 29 février ?

Ma démarche, mes équations, mes calculs.

....

....
(ce que je dois trouver)

Réponse:_____

Consignes:

a) Lis chaque problème au moins 2 fois.
b) Écris sur le pointillé ce que tu dois trouver.
c) Résous chaque problème.

58. Isabelle et Mélissa sont nées le même jour. Isabelle est née à 8 heures et Mélissa à 13 heures et 15 minutes. Trouve le nombre de minutes qu'Isabelle a vécu de plus que Mélissa.

Ma démarche, mes équations, mes calculs.

....
....
(ce que je dois trouver)

Réponse:_____

59. On dit souvent qu'une année dans la vie d'un chien équivaut à 7 années de vie humaine. Mon chien vient d'avoir 9 ans. À combien d'années de vie humaine l'âge de mon chien équivaut-il ?

Ma démarche, mes équations, mes calculs.

....
....
(ce que je dois trouver)

Réponse:_____

60. Je m'appelle Marie-Hélène et j'ai 10 ans. Mon grand-père a 6 fois mon âge et, dans 4 ans, il aura 20 ans de plus que mon papa. Quel est l'âge de mon papa actuellement ?

Ma démarche, mes équations, mes calculs.

....
....
(ce que je dois trouver)

Réponse:_____

Consignes:

a) Lis chaque problème au moins 2 fois.
b) Écris sur le pointillé ce que tu dois trouver.
c) Résous chaque problème.

Je solutionne des problèmes semblables.

61. Ghislaine a un nouvel album pour ranger ses autocollants. L'album compte 44 pages et chaque page peut servir à ranger 25 collants de 3 cm de large. Combien peut-elle ranger de collants de 3 cm de large dans son album ?

Ma démarche, mes équations, mes calculs.

....
....
(ce que je dois trouver)

Réponse:_____

62. René collectionne les timbres. Son album peut contenir 4 800 timbres. Il y a rangé 2 225 timbres et y collera 43 timbres ce soir. Demain, combien pourra-t-il encore ranger de nouveaux timbres dans son album ?

Ma démarche, mes équations, mes calculs.
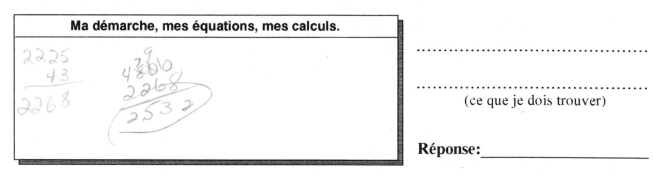

....
....
(ce que je dois trouver)

Réponse:_____

63. Roséanne a une belle collection de minéraux. Elle les a disposés dans 12 tiroirs contenant chacun 40 spécimens. Trouve la quantité totale de minéraux qu'elle a dans sa collection.

Ma démarche, mes équations, mes calculs.

....
....
(ce que je dois trouver)

Réponse:_____

Consignes:

a) Lis chaque problème au moins 2 fois.
b) Écris sur le pointillé ce que tu dois trouver.
c) Résous chaque problème.

---

64. Comme tous les collectionneurs, Jean-Philippe fait des échanges avec ses amis. Il avait 158 cartes de hockey. Ce matin, il a échangé 12 de ses cartes rares contre 36 cartes ordinaires. Combien de cartes a-t-il maintenant dans sa collection ?

Ma démarche, mes équations, mes calculs.
158 $- 12$ 146 146 $+ 36$ 182 cartes

....

....
(ce que je dois trouver)

Réponse:_____

---

65. Le papa de Nadia collectionne les pièces de monnaie. Il en a 127 du continent américain, 322 du continent européen, 235 du continent africain, 182 du continent asiatique et 48 du continent océanien. Combien de pièces a-t-il dans sa collection ?

Ma démarche, mes équations, mes calculs.

....

....
(ce que je dois trouver)

Réponse:_____

---

66. Mirna a reçu 2 perles blanches pour chacun de ses anniversaires dont le nombre est pair et 5 perles blanches pour chacun de ses anniversaires dont le nombre est impair. Quel âge a-t-elle si elle a reçu 35 perles ?

Ma démarche, mes équations, mes calculs.

10 ans

....

....
(ce que je dois trouver)

Réponse:_____

1 2 3 4 5 6 7 8 9 10
2.5 2 5 2 5 2 5 2 5

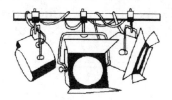
Consignes:

a) Lis chaque problème au moins 2 fois.
b) Écris sur le pointillé ce que tu dois trouver.
c) Résous chaque problème.

67. Nathalie et Martine suivent des cours privés de piano. Nathalie doit payer 15 $ l'heure de cours alors que Martine doit payer 4 $ du quart d'heure. Au bout de 30 heures de cours, laquelle aura payé le plus ? Dis-moi aussi combien de plus.

Ma démarche, mes équations, mes calculs.

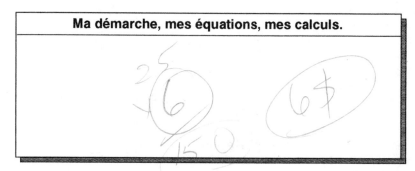

....
....
(ce que je dois trouver)

Réponse:_____

68. Jean-Simon suit des cours de natation donnés à la piscine municipale. Il a dû débourser 150 $ pour 25 heures de cours. Trouve ce que lui coûte chaque heure de cours.

Ma démarche, mes équations, mes calculs.

....
....
(ce que je dois trouver)

Réponse:_____

69. Véronique a décidé de suivre des cours de karaté offerts par les loisirs de sa paroisse. On lui demande 110 $ pour les cours, 15 $ pour l'inscription et 37 $ pour le costume. Combien cela lui coûtera-t-il en tout ?

Ma démarche, mes équations, mes calculs.

....
....
(ce que je dois trouver)

Réponse:_____

Consignes:

a) Lis chaque problème au moins 2 fois.
b) Écris sur le pointillé ce que tu dois trouver.
c) Résous chaque problème.

Je solutionne des problèmes semblables.

70. Pour avoir de vrais beaux chandails, 13 membres de l'équipe de soccer d'Éloïse ont amassé 300 $ en vendant du chocolat. Cela sera-t-il suffisant pour payer 15 chandails qui coûtent 18 $ chacun ?

Ma démarche, mes équations, mes calculs.

....
....
(ce que je dois trouver)

Réponse:_____

71. Rodrigue doit acheter des volants pour le tournoi de badminton de l'école. Chez Roland Sport ont les vend 0,85 $ l'unité alors que chez Métro Sport on les vend 9,90 $ la douzaine. Lequel des 2 marchands vend ses volants moins cher ?

Ma démarche, mes équations, mes calculs.
0,85 × 12 Roland Sport   Métro Sport 9,90 $ 160 8,5 10,20

....
....
(ce que je dois trouver)

Réponse:_____

72. Bernadette a besoin de flèches pour son arc. Les bonnes flèches coûtent 48 $ la douzaine ou 5 $ la flèche si elles sont achetées à l'unité. Quel montant minimum devra-t-elle payer pour 28 flèches ?

Ma démarche, mes équations, mes calculs.

....
....
(ce que je dois trouver)

Réponse:_____

73

Consignes:

a) Lis chaque problème au moins 2 fois.
b) Écris sur le pointillé ce que tu dois trouver.
c) Résous chaque problème.

73. Denise est camelot pour le journal "La Presse". Elle a 22 clients à qui elle distribue le journal 7 jours par semaine et elle a 7 clients à qui elle le distribue 5 jours par semaine. Combien distribue-t-elle de journaux chaque semaine ?

Ma démarche, mes équations, mes calculs.

$$\begin{array}{r} 22 \\ \times 7 \\ \hline 154 \end{array} \qquad \begin{array}{r} 5 \\ \times 7 \\ \hline 35 \end{array} \qquad \begin{array}{r} 154 \\ 35 \\ \hline 189 \end{array} \text{journaux}$$

....
....
(ce que je dois trouver)

Réponse: _____

74. Denise, notre camelot, a 18 clients qui lui donnent 1 $ de pourboire chaque semaine, 7 clients qui lui en donnent 0,75 $ et 4 clients qui lui en donnent 0,50 $. Combien reçoit-elle en pourboire chaque semaine ?

Ma démarche, mes équations, mes calculs.

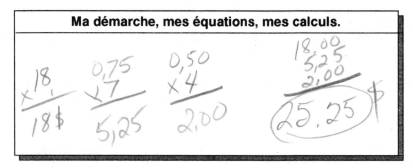

$$\begin{array}{r} 18 \\ \times 1 \\ \hline 18\$ \end{array} \qquad \begin{array}{r} 0,75 \\ \times 7 \\ \hline 5,25 \end{array} \qquad \begin{array}{r} 0,50 \\ \times 4 \\ \hline 2,00 \end{array} \qquad \begin{array}{r} 18,00 \\ 5,25 \\ 2,00 \\ \hline 25,25\$ \end{array}$$

....
....
(ce que je dois trouver)

Réponse: _____

75. Robert est camelot pour un journal concurrent. Il a 48 clients. La moitié de ses clients lui donnent 1 $ de pourboire, le quart lui donnent 0,50 $ et le reste des clients lui donnent 0,25 $. Combien reçoit-il en pourboires chaque semaine ?

Ma démarche, mes équations, mes calculs.

....
....
(ce que je dois trouver)

Réponse: _____

Consignes:

a) Lis chaque problème au moins 2 fois.
b) Écris sur le pointillé ce que tu dois trouver.
c) Résous chaque problème.

76. Denise a calculé qu'elle marche 800 mètres chaque matin pour distribuer ses journaux. Pendant combien de matins devra-t-elle distribuer ses journaux pour pouvoir dire qu'elle a marché 100 kilomètres ?

Ma démarche, mes équations, mes calculs.

....
....
(ce que je dois trouver)

Réponse:_____

77. Pour distribuer ses journaux chaque matin, Robert marche 311 mètres de plus que les 800 mètres de Denise. Pendant combien de matins Robert devra-t-il marcher pour atteindre 100 kilomètres ?

Ma démarche, mes équations, mes calculs.

....
....
(ce que je dois trouver)

Réponse:_____

78. Chaque matin, Robert prend 17 minutes de plus que Denise pour distribuer ses journaux. Combien de minutes de plus prendra-t-il durant tout le mois de mai pour distribuer ses journaux ?

Ma démarche, mes équations, mes calculs.

....
....
(ce que je dois trouver)

Réponse:_____

Consignes:

a) Lis chaque problème au moins 2 fois.
b) Écris sur le pointillé ce que tu dois trouver.
c) Résous chaque problème.

Je solutionne des problèmes semblables.

79. **Papa amène toute la famille au restaurant pour la fête des mères. Il a réservé une table pour 16 h 30. Si le trajet de la maison au restaurant est de 45 minutes, à quelle heure faudra-t-il partir de la maison pour être à l'heure au restaurant ?**

Ma démarche, mes équations, mes calculs.

....
....
(ce que je dois trouver)

Réponse:_____

80. **Dans la salle à manger du restaurant, Emmanuelle voit 8 tables de 2 places, 12 tables de 4 places, 3 tables de 6 places et 2 tables de 8 places. Combien de clients peuvent être assis en même temps dans cette salle à manger ?**

Ma démarche, mes équations, mes calculs.

....
....
(ce que je dois trouver)

Réponse:_____

81. **Au menu, il y a du spaghetti à 7,95 $, du poulet rôti à 6,45 $, de la pizza à 5,75 $ et du steak à 9,50 $. Si maman prend du poulet, papa du steak et Emmanuelle du spaghetti, combien coûtera le repas de la famille ?**

Ma démarche, mes équations, mes calculs.

....
....
(ce que je dois trouver)

Réponse:_____

Consignes:

a) Lis chaque problème au moins 2 fois.
b) Écris sur le pointillé ce que tu dois trouver.
c) Résous chaque problème.

Je solutionne des problèmes semblables.

82. À la table voisine, 4 clients prennent place et veulent manger de la pizza. S'ils veulent payer le moins cher possible, devraient-ils commander 4 pizzas à 5,75 $ ou partager 2 pizzas à 10,95 $?

Ma démarche, mes équations, mes calculs.
5,75 10,95 rép. 2 pizzas à 10,95 x 4 x 2 23,00 $ 21,90

....
....
(ce que je dois trouver)

Réponse:_____

83. Au dessert, papa et maman prennent chacun un morceau de gâteau Forêt noire et Emmanuelle choisit la pointe de tarte au sucre. Un morceau de gâteau coûte 2,25 $ et une pointe de tarte, 1,95 $. Combien coûtera le dessert de ces 3 personnes ?

Ma démarche, mes équations, mes calculs.
2,25   4,50 x 2 + 1,95 4,50 $ 6,45 $

....
....
(ce que je dois trouver)

Réponse:_____

84. À la fin du repas la serveuse remet à papa une addition de 48 $. Si celui-ci donne un pourboire de 12¢ pour chaque dollar de la facture, combien lui coûtera alors le pourboire de ce repas de fête ?

Ma démarche, mes équations, mes calculs.

....
....
(ce que je dois trouver)

Réponse:_____

77

Consignes:

a) Lis chaque problème au moins 2 fois.
b) Écris sur le pointillé ce que tu dois trouver.
c) Résous chaque problème.

---

85. Mon oncle Antoine se rend à Mirabel et prend l'avion pour Paris. Il m'a dit que son avion volerait à 825 km/h pendant 6 heures. Quelle est la distance qu'il parcourra entre ces 2 villes ?

> **Ma démarche, mes équations, mes calculs.**

....

....
(ce que je dois trouver)

Réponse: _____

---

86. L'avion d'Air Canada accomplit 4 voyages aller-retour Montréal-Paris par semaine. S'il transporte 392 passagers à chaque vol, combien transporte-t-il de passagers chaque semaine sur ce trajet ?

> **Ma démarche, mes équations, mes calculs.**

....

....
(ce que je dois trouver)

Réponse: _____

---

87. Si on permet aux 392 passagers d'un Boing 747 d'avoir 21 kg de bagages, quelle masse cela fera-t-il dans la soute à bagages de l'avion ? Peux-tu aussi donner ta réponse en tonnes métriques ?

> **Ma démarche, mes équations, mes calculs.**

....

....
(ce que je dois trouver)

Réponse: _____

Consignes:

a) Lis chaque problème au moins 2 fois.

b) Écris sur le pointillé ce que tu dois trouver.

c) Résous chaque problème.

88. Le supersonique Concorde peut voler à 2 300 km/h et le Boing 747 à 970 km/h. Si les 2 avions décollent en même temps, quelle sera l'avance du Concorde au bout de 4 heures de vol ? (Donne ta réponse en kilomètres)

Ma démarche, mes équations, mes calculs.

....

.... (ce que je dois trouver)

Réponse:_____

89. Le Boing 747 a une capacité de 422 passagers et le Concorde, une capacité de 128 passagers. Pour chaque vol d'un Boing 747 ayant tous ses sièges occupés, combien faudra-t-il de vol du Concorde pour en transporter autant ?

Ma démarche, mes équations, mes calculs.

....

.... (ce que je dois trouver)

Réponse:_____

90. Il est 13 h 10, un avion atterrit et 5 autres attendent leur tour. Si on exige un intervalle de 13 minutes entre chaque atterrissage, à quelle heure se posera le dernier avion ?

Ma démarche, mes équations, mes calculs.

....

.... (ce que je dois trouver)

Réponse:_____

79

Consignes:

a) Lis chaque problème au moins 2 fois.
b) Écris sur le pointillé ce que tu dois trouver.
c) Résous chaque problème.

Je solutionne des problèmes semblables.

91. Xavier a reçu un aquarium en cadeau. Il le remplit de **66** litres d'eau et installe un filtreur qui peut nettoyer un litre d'eau en **90** secondes. Combien de temps cet appareil met-il pour filtrer toute l'eau de l'aquarium ?

Ma démarche, mes équations, mes calculs.

....

....
(ce que je dois trouver)

Réponse:_____

92. Xavier installe **3 kg** de gravier dans le fond de l'aquarium. Le filtreur pèse **500 g** et le couvercle **700 g**. Sachant que chacun des **66** litres d'eau pèse un kilogramme, quelle masse doit pouvoir supporter le meuble sur lequel il pose son aquarium ?

Ma démarche, mes équations, mes calculs.

....

....
(ce que je dois trouver)

Réponse:_____

93. Dans son aquarium, Xavier veut mettre **8** poissons *néons*, **2** poissons *anges* et un poisson *vidangeur*. Combien cela lui coûtera-t-il si un poisson *néon* se vend **0,59 $** , un poisson *ange* **3,95 $** et un poisson *vidangeur* **2,49 $** ?

Ma démarche, mes équations, mes calculs.

....

....
(ce que je dois trouver)

Réponse:_____

Consignes:

a) Lis chaque problème au moins 2 fois.
b) Écris sur le pointillé ce que tu dois trouver.
c) Résous chaque problème.

94. Xavier compare les prix de la nourriture en flocons pour poissons tropicaux. Un pot de 10 g se vend 2,25 $ alors qu'un sac de 100 g se vend 9,25 $. Plutôt que d'acheter 10 pots de 10 g, il achète un sac de 100 g. Combien économise-t-il ?

Ma démarche, mes équations, mes calculs.

....

....
(ce que je dois trouver)

Réponse:_____

95. Pour garder son aquarium propre, il doit aussi passer un aspirateur siphon sur le gravier une fois par semaine. Cette opération l'oblige à remplacer 1/3 de l'eau. En combien de semaines aura-t-il remplacé les 66 litres d'eau de l'aquarium ?

Ma démarche, mes équations, mes calculs.

66 ÷ 3   22
          22   3 semaines
          22

....

....
(ce que je dois trouver)

Réponse:_____

96. Pour garder l'eau de son aquarium à une température constante, Xavier a installé une chaufferette. Celle-ci consomme pour 0,20 $ d'électricité par semaine. Quel est le coût annuel d'utilisation de cette chaufferette ?

Ma démarche, mes équations, mes calculs.

....

....
(ce que je dois trouver)

Réponse:_____

Consignes:

a) Lis chaque problème au moins 2 fois.
b) Écris sur le pointillé ce que tu dois trouver.
c) Résous chaque problème.

97. En septembre, Renée mesurait 1,21 m et Samira, 1,27 m. Au bout de 10 mois , Renée mesure maintenant 1,32 m et Samira, 1,35 m. Laquelle des 2 amies a grandi le plus durant l'année scolaire et de combien de centimètres de plus que l'autre ?

Ma démarche, mes équations, mes calculs.

....
....
(ce que je dois trouver)

Réponse:_____

98. En septembre, Rémi pesait 47 kg et André, 49 kg. À la fin du mois de juin, René pèse 53 kg et André, 54 kg. Combien de kg les 2 amis réunis ont-ils de plus qu'en septembre ?

Ma démarche, mes équations, mes calculs.

....
....
(ce que je dois trouver)

Réponse:_____

99. En mettant de l'ordre dans son pupitre, Claire constate qu'elle a rempli 2 cahiers d'exercices d'écriture. Comme chaque cahier a 32 pages et chaque page, 35 lignes, combien de lignes a-t-elle utilisées ?

Ma démarche, mes équations, mes calculs.

....
....
(ce que je dois trouver)

Réponse:_____

Consignes:

a) Lis chaque problème au moins 2 fois.
b) Écris sur le pointillé ce que tu dois trouver.
c) Résous chaque problème.

100. Jonathan vérifie ce qu'il lui reste de feuilles mobiles. Au mois d'août, il s'était procuré 2 paquets de 200 feuilles et il lui reste 73 feuilles. Combien a-t-il utilisé de feuilles mobiles durant l'année scolaire ?

Ma démarche, mes équations, mes calculs.

....

....
(ce que je dois trouver)

Réponse:_____

101. En septembre, l'enseignante avait recueilli 50 cartons de couleurs de chacun des enfants. En juin, elle leur remet les cartons inutilisés. Si elle remet 7 cartons à chacun des 27 élèves, combien de cartons de couleurs ont été utilisés en tout ?

Ma démarche, mes équations, mes calculs.

....

....
(ce que je dois trouver)

Réponse:_____

102. Dans la classe de Rita, on doit refaire la reliure de 5 dictionnaires, de 4 manuels de mathématiques et de 3 livres de lecture. Si chaque réparation coûte 5 $, combien devra-t-on débourser ?

Ma démarche, mes équations, mes calculs.

....

....
(ce que je dois trouver)

Réponse:_____

Consignes:

a) Lis chaque problème au moins 2 fois.
b) Réponds aux différentes questions en suivant les étapes de ta démarche.
c) Écris ce qui est nécessaire dans l'espace prévu.

1. Luc et Marie veulent que les élèves de l'école connaissent mieux les catégories de livres que leur offre le centre de ressources. Ils ont donc fabriqué un diagramme et préparé quelques questions. Vérifie tes habiletés.

CATÉGORIES	NOMBRE DE LIVRES
Dictionnaires, encyclopédies	▱ ▱ ▱
Albums et lecteurs débutants	▱ ▱ ▱ ▱ ▱ ▱
Contes, poèmes, romans	▱ ▱ ▱ ▱ ▱ ▱ ▱ ▱ / ▱ ▱ ▱ ▱ ▱ ▱ ▱ ▱
Sciences, vie animale et végétale	▱ ▱ ▱ ▱ ▱ ▱ ▱ / ▱ ▱ ▱ ▱ ▱ ▱ ▱
Histoire, géographie, biographies	▱ ▱ ▱ ▱ ▱ ▱ ▱

Attention ! Chaque ▱ = 50 livres

Ma démarche, mes équations, mes calculs.

a) Combien y a-t-il de livres au centre de ressources ?

Réponse:_____

b) Quelle catégorie compte le plus de livres ? Combien ?

Réponse:_____

_____

c) Quelle catégorie compte le moins de livres ? Combien ?

Réponse:_____

_____

d) Quel est l'écart (en nombre de livres) entre les catégories *Contes, poèmes, romans* et *Sciences, vie animale et végétale* ?

Réponse:_____

e) Si on ajoute 100 livres à la catégorie *Dictionnaires et encyclopédie*, combien de pictogrammes y aura-t-il pour cette catégorie ?

Réponse:_____

Je relève de nouveaux défis.

Consignes:

a) Lis chaque problème au moins 2 fois.
b) Réponds aux différentes questions en suivant les étapes de ta démarche.
c) Écris ce qui est nécessaire dans l'espace prévu.

2. Dans la famille de Ginette, chacun a 5 cassettes vidéos pour enregistrer ses émissions préférées. Chaque cassette a une capacité d'enregistrement de 6 heures. Voici un tableau qui montre l'utilisation qu'ils font de leurs cassettes. Sache qu'ils ne veulent pas effacer ce qu'ils ont déjà enregistré.

MINUTES D'ENREGISTREMENT	Papa	Maman	Ginette
Cassette no 1	326	355	350
Cassette no 2	315	342	350
Cassette no 3	347	259	345
Cassette no 4	180	63	220
Cassette no 5	30	65	15

Ma démarche, mes équations, mes calculs.

a) Combien de minutes d'émissions sont enregistrées sur les 5 cassettes de papa ?

Réponse:_____

b) Combien reste-t-il de minutes d'enregistrement sur les 5 cassettes de maman ?

Réponse:_____

c) Qui a le plus grand nombre de minutes d'émissions enregistrées sur ses 5 cassettes ?

Réponse:_____

d) Ginette peut-elle enregistrer une compétition de patinage de 3 heures sur sa cassette no 4 ?

Réponse:_____

e) Combien faudrait-il de temps pour regarder tout ce qui a été enregistré par papa, maman et Ginette ?

Réponse:_____

Consignes:

a) Lis chaque problème au moins 2 fois.

b) Réponds aux différentes questions en suivant les étapes de ta démarche.

c) Écris ce qui est nécessaire dans l'espace prévu.

3. Louis et Martin jouent au *Combat naval*. Leurs tableaux de jeux sont face à face et séparés par un écran. Martin a déjà placé ses 5 vaisseaux et Louis en a encore 3 à placer. Chacun a un porte-avions de 5 carreaux, un cuirassé de 4 carreaux, un sous-marin de 3 carreaux, un destroyer de 2 carreaux et une chaloupe d'un carreau.

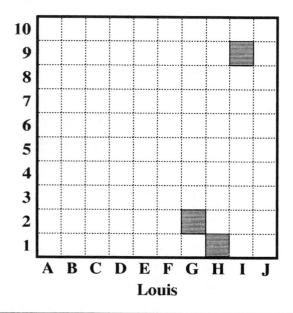

Louis

ÉCRAN

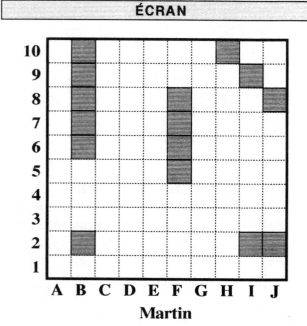

Martin

a) Noircis les carreaux indiquant la position du porte-avions de Louis: A5, B6, C7, D8, E9.

b) Noircis les carreaux indiquant la position du cuirassé de Louis: I3, I4, I5, I6.

c) Noircis les carreaux indiquant la position du sous-marin de Louis: C3, D3, E3.

d) Le cuirassé de Martin est-il bien à F5, F6, F7, F8 ?

Réponse:_____

e) Une attaque à H2 et à I2 coulera-t-elle le destroyer de Martin?

Réponse:_____

f) Indique la position du sous-marin de Martin.

Réponse:_____

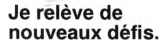

Consignes:

a) Lis chaque problème au moins 2 fois.
b) Réponds aux différentes questions en suivant les étapes de ta démarche.
c) Écris ce qui est nécessaire dans l'espace prévu.

Je relève de nouveaux défis.

4. **Marie, Lina, Sue et Anne jouent à la *Course au trésor*. Chacune doit faire un tour complet du tableau de jeu pour ensuite prendre l'allée magique qui les amène au centre, c'est-à-dire au Trésor [le 53e carreau]. Le jeu se joue à 2 dés.**

← Marie

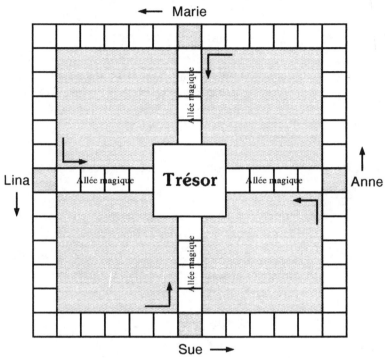

Lina

Anne

Sue →

Voici les résultats des 6 premiers tours

	Marie	Lina	Sue	Anne
1er tour	2 + 3	6 + 2	3 + 3	1 + 3
2e tour	6 + 6	2 + 2	5 + 4	1 + 4
3e tour	5 + 6	3 + 6	4 + 4	6 + 4
4e tour	4 + 5	6 + 6	1 + 4	6 + 6
5e tour	3 + 3	5 + 3	5 + 5	3 + 6
6e tour	4 + 6	5 + 6	4 + 5	5 + 4

a) **Y a-t-il une gagnante au 6e tour ? Si oui, qui ?**

Réponse:_____

b) **Laquelle des amies n'a pas atteint l'allée magique ?**

Réponse:_____

c) **À qui ne manque-t-il qu'un carreau pour atteindre le trésor ?**

Réponse:_____

d) **Si Anne avait eu un total de 12 au 6e tour, aurait-elle atteint le trésor ?**

Réponse:_____

Ma démarche, mes équations, mes calculs.

87

Consignes:

a) Lis chaque problème au moins 2 fois.
b) Réponds aux différentes questions en suivant les étapes de ta démarche.
c) Écris ce qui est nécessaire dans l'espace prévu.

5. Voici la pyramide mystérieuse découverte par 4 amies dans la forêt enchantée. Josée, Louise, Denise et Antonine doivent parcourir ses escaliers plusieurs fois pour en trouver l'entrée secrète.

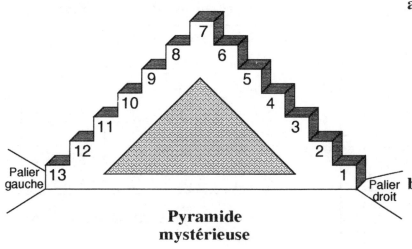

Pyramide
mystérieuse

a) Louise part du palier droit et met le pied gauche sur la 1re marche. Si elle franchit une marche à la fois en changeant de pied à chaque marche, quel pied mettra-t-elle sur le palier gauche ?

Réponse:_____

b) Si Josée va du palier gauche au palier droit en ne mettant les pieds que sur des marches au numéro impair, à combien de marches touchera-t-elle ?

Réponse:_____

c) Si Denise va du palier droit au palier gauche en ne mettant les pieds que sur des marches au numéro pair, à combien de marches touchera-t-elle ?

Réponse:_____

d) Antonine ramasse une pièce d'or sur la 1re marche, 2 pièces sur la 2e marche, 3 pièces sur la 3e... et ainsi jusqu'à la 13e marche. Combien de pièces d'or Antonine ramasse-t-elle en tout ?

Réponse:_____

Ma démarche, mes équations, mes calculs.

88

Consignes:

a) Lis chaque problème au moins 2 fois.
b) Réponds aux différentes questions en suivant les étapes de ta démarche.
c) Écris ce qui est nécessaire dans l'espace prévu.

6. Nos amies entrent à l'intérieur de la pyramide et pour atteindre la chambre secrète, elles doivent ramasser au moins 4 clefs parmi les 8 qui sont aux intersections A, B, C, D, E, F, G, H.

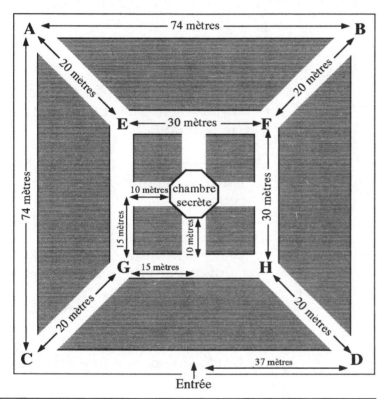

a) Quel est le plus court chemin pour atteindre la chambre secrète avec 4 clefs ?

Réponse:_____

b) S'il y a 37 mètres de l'entrée au point C, combien de mètres Louise parcourra-t-elle jusqu'à la chambre secrète en passant par les points C, A, B, F ?

Réponse:_____

c) Combien de mètres de moins que Louise parcourra Denise si elle prend ses clefs aux points D, B, F, E ?

Réponse:_____

d) Quel trajet est plus court? Le trajet qui passe par D, H, G, E ou le trajet qui passe par les intersections C, G, E, F ?

Réponse:_____

Ma démarche, mes équations, mes calculs.

89

7. **Quatre maisons de couleurs différentes sont alignées rue St-Denis. Elles sont habitées par Carl, Denis, Luc et Paul. Ceux-ci ont 30 ans, 35 ans, 37 ans et 60 ans respectivement. Chacun a un animal domestique: chat, chien, perroquet ou poisson rouge. Découvre qui habite dans chaque maison, quel est son âge et son animal domestique.**

À qui appartient le perroquet ?

?	Maison rouge	Maison bleue	Maison jaune	Maison noire
Qui?				
Quel âge?				
Quel animal?				

Complète le tableau de gauche en te servant de la liste d'informations que je te donne.

a) Le propriétaire du chat est le voisin immédiat de la maison rouge.

b) Celui qui habite la maison rouge a le double de l'âge de celui qui habite la maison noire.

c) Celui qui a 37 ans n'a pas de chat.

d) Carl est le plus jeune des quatre voisins.

e) Luc a 7 ans de plus que Carl.

f) Denis a un poisson rouge comme animal domestique.

g) Le chien est le voisin immédiat du chat.

Question:
À qui appartient le perroquet ?

Réponse:_____

Ma démarche, mes équations, mes calculs.

Consignes:

a) Lis chaque problème au moins 2 fois.
b) Réponds aux différentes questions en suivant les étapes de ta démarche.
c) Écris ce qui est nécessaire dans l'espace prévu.

8. Dominic vérifie une étagère de légumes à l'épicerie paternelle. Sur chaque tablette, la valeur des conserves devrait atteindre un total de 27 $. Voici ce qu'il a devant les yeux: 50 boîtes de petits pois, 36 boîtes de maïs, 40 boîtes de harricots et 50 boîtes de betteraves. Une affiche lui indique le prix à l'unité.

Épicerie Sans-Souci

Petits pois	0,50$
Maïs	0,75$
Harricots	0,60$
Betteraves	0,45$

Ma démarche, mes équations, mes calculs.

a) Quelle est la quantité totale de boîtes de conserves sur ces 4 tablettes ?

Réponse:_____

b) Quelle tablette vaut exactement 27 $?

Réponse:_____

c) Sur quelle tablette manque-t-il le plus de boîtes pour atteindre 27 $?

Réponse:_____

d) Quelle est la valeur totale des conserves qui sont actuellement sur les tablettes ?

Réponse:_____

e) Quelle devrait être la valeur totale des 4 tablettes ?

Réponse:_____

91

Consignes:

a) Lis chaque problème au moins 2 fois.
b) Réponds aux différentes questions en
   suivant les étapes de ta démarche.
c) Écris ce qui est nécessaire dans l'espace prévu.

9. Gino et Mario ont tous les deux invité les membres de leur équipe de balle molle à un souper éclair. Ils ont commandé pour les 18 personnes présentes une super pizza mesurant 60 cm sur 30 cm. Ils doivent maintenant la partager également pour que chacun ait un morceau avec une olive.

SUPER PIZZA
TOUTE GARNIE

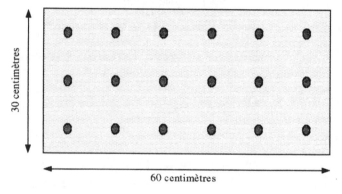

30 centimètres

60 centimètres

a) Trace des lignes permettant à 18 personnes d'avoir des morceaux de même grandeur.

b) Quel est le moins grand nombre de coups de couteau nécessaires pour arriver à faire 18 portions égales.

   Réponse:_____

c) Quelle est la surface totale de la pizza en cm^2 ?

   Réponse:_____

d) Combien de cm^2 de pizza chacun recevra-t-il ?

   Réponse:_____

e) S'ils avaient 3 pizzas à se partager, combien de cm^2 de pizza chacun recevrait-il ?

   Réponse:_____

Ma démarche, mes équations, mes calculs.

92

Consignes:

a) Lis chaque problème au moins 2 fois.
b) Réponds aux différentes questions en suivant les étapes de ta démarche.
c) Écris ce qui est nécessaire dans l'espace prévu.

10. **Jean-Denis veut apporter aux 24 élèves de sa classe des muffins aux bananes qu'il a faits lui-même. Il ouvre le grand livre de recettes de sa mère et il y trouve une recette qui lui indique la façon de faire 12 muffins. Voici cette recette.**

MUFFINS AUX BANANES
(recette pour 12 muffins)

Ingrédients:

2 cuillères à soupe de beurre   1/2 tasse de cassonade
1 oeuf, battu   2 bananes écrasées
2 tasses de farine tout usage   3 cuillères à thé de poudre à pâte
1/4 cuillère à thé de sel   1/2 tasse de lait

Marche à suivre:

1. Mettre le beurre et la cassonade en crème.
2. Ajouter l'oeuf et les bananes écrasées.
3. Tamiser tous les ingrédients secs ensemble et ajouter au mélange en crème en alternant avec le lait.
4. Remplir les moules au 2/3.
5. Faire cuire pendant 20 minutes dans un four à 200 °C.

Ma démarche, mes équations, mes calculs.

a) **Pour 24 muffins aux bananes, quelle quantité de cassonade devra-t-il utiliser ?**

   Réponse: _____

b) **Pour 24 muffins aux bananes, quelle quantité de sel devra-t-il utiliser ?**

   Réponse: _____

c) **Pour 24 muffins aux bananes, quelle quantité de lait devra-t-il utiliser ?**

   Réponse: _____

d) **Pourrait-il faire 24 muffins plus petits en remplissant 24 moules au 1/3 seulement ?**

   Réponse: _____

e) **S'il fabrique 24 muffins plutôt que 12, à quelle température devra-t-il les faire cuire ?**

   Réponse: _____

Je relève de nouveaux défis.

11. **Louison vient de recevoir un parc zoologique miniature. Les enclos ont une forme différente pour chaque animal. Aide-la à placer ses animaux dans les bons enclos en inscrivant leur nom sur le plateau représentant son parc zoologique.**

Mini-parc zoologique

a) Le pélican est dans un enclos dont tous les points de la clôture sont à égale distance du centre.

b) Le kangourou est dans l'enclos dont la forme nous montre qu'il n'a qu'une seule paire de côtés parallèles.

c) Le tigre va dans l'enclos qui a 2 paires de côtés parallèles à angle droit mais dont la longueur et la largeur ne sont pas congrues.

d) L'éléphant est dans l'enclos qui a une forme octogonale.

e) L'hippopotame patauge dans l'enclos de forme hexagonale.

f) L'ours polaire se promène dans l'enclos ayant 2 paires de côtés parallèles et dont la longueur et la largeur sont congrues.

g) Le chameau vit dans l'enclos qui a la forme d'un triangle rectangle.

h) La girafe promène son grand cou dans un enclos de forme pentagonale et convexe.

Consignes:

a) Lis chaque problème au moins 2 fois.
b) Réponds aux différentes questions en suivant les étapes de ta démarche.
c) Écris ce qui est nécessaire dans l'espace prévu.

12. René a demandé à sa mère des boîtes pour ranger les 144 blocs de son jeu de construction. Chaque bloc est en bois et a la forme d'un cube d'un dm de côté. Voici les boîtes qu'elle a trouvées.

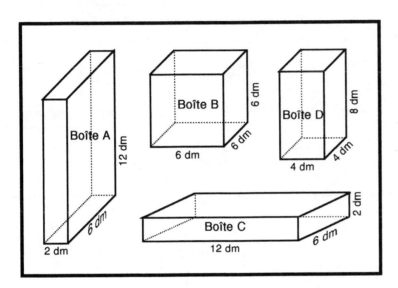

a) Dans quelle boîte pourrait-il ranger le plus de blocs ?

Réponse:_____

b) Dans quelle boîte rangerait-il le moins de blocs ?

Réponse:_____

c) Quelles sont les deux boîtes pouvant contenir le même nombre de blocs ?

Réponse:_____

Ma démarche, mes équations, mes calculs.

d) Dans quelles boîtes pourrait-il ranger tous ses blocs ?

Réponse:_____

e) Combien de blocs pourrait-il encore ajouter à la boîte A après y avoir rangé ses 144 blocs ?

Réponse:_____

f) Combien de blocs peuvent entrer dans les 4 boîtes réunies ?

Réponse:_____

Consignes:

a) Lis le problème au moins 2 fois.

b) Relève le défi.

13. Germaine veut faire une affiche pour identifier sa classe. Elle dispose d'une affiche réduite qu'elle veut agrandir en la rendant 3 fois plus haute et 3 fois plus large. Germaine a déjà inscrit les points de départ du chiffre quatre. À toi de l'aider.

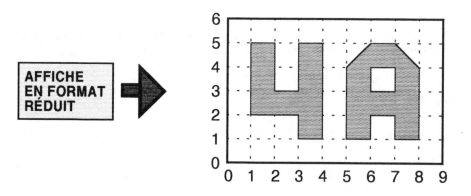

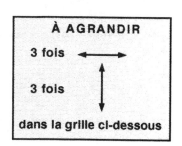

À AGRANDIR

3 fois

3 fois

dans la grille ci-dessous

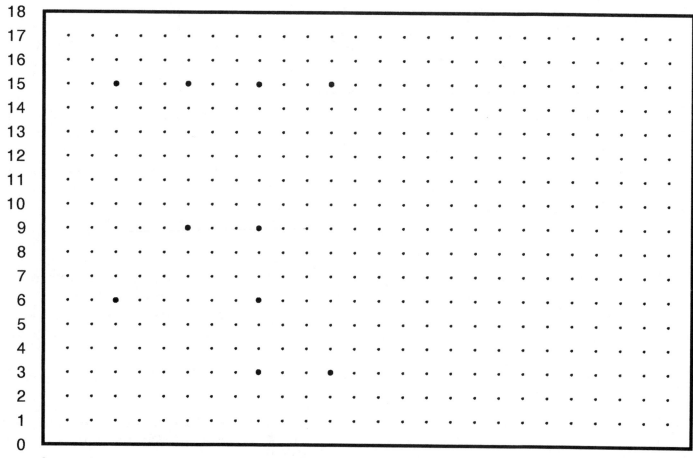

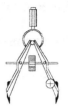

Consignes:

a) Lis le problème au moins 2 fois.

b) Relève le défi.

14. Voici une mosaïque commencée où l'on a utilisé la symétrie par réflexion. Je te demande de la terminer. Si tu le désires, tu peux utiliser des crayons de couleur.

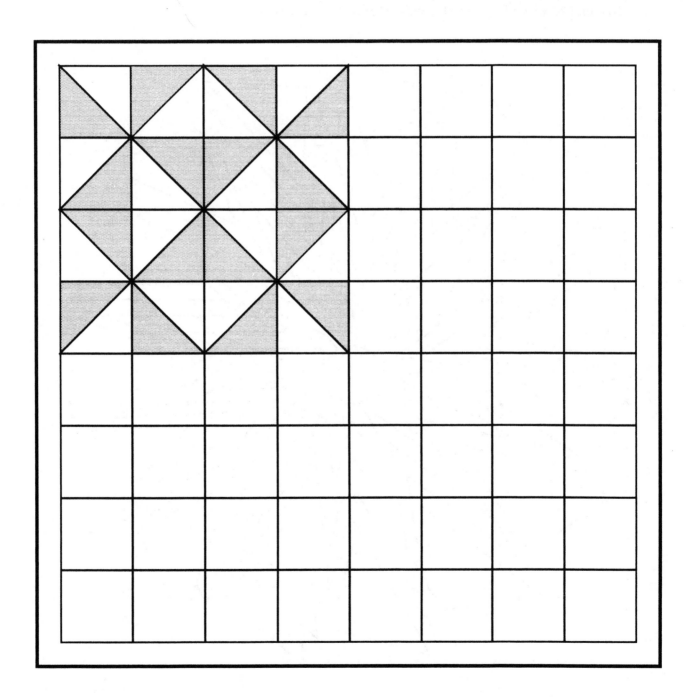

15. **Voici un *mandala*. Il s'agit d'un dessin qui développera ta concentration. Tu dois le terminer en le coloriant. Mais fais attention, jamais 2 surfaces qui se touchent ne peuvent être de la même couleur. Défi suprême! essaie de le colorier en utilisant le moins de couleurs différentes possible.**

Activités de résolution de problèmes

Module 5

Je m'évalue

Ma fiche d'évaluation personnelle

Je comprends mes problèmes parce que

	complètement	partiellement	pas du tout
je lis les problèmes avec soin,	☐	☐	☐
je reformule mes problèmes,	☐	☐	☐
je ramasse les données,	☐	☐	☐
je réunis les informations,	☐	☐	☐
j'illustre mon problème,	☐	☐	☐
je discute d'un problème,	☐	☐	☐
je me pose des questions.	☐	☐	☐

Pour bien établir mon plan,

	complètement	partiellement	pas du tout
j'enlève ce qui ne sert pas,	☐	☐	☐
j'arrondis et j'estime,	☐	☐	☐
je m'assure qu'il ne manque pas d'informations,	☐	☐	☐
je partage mon problème en petits problèmes,	☐	☐	☐
je choisis la bonne opération,	☐	☐	☐
j'écris mon problème sous forme d'équation,	☐	☐	☐
j'établis l'ordre des opérations,	☐	☐	☐
je fais un diagramme,	☐	☐	☐
j'estime un résultat .	☐	☐	☐

Pour bien résoudre mon problème

	complètement	partiellement	pas du tout
je peux résoudre une équation,	☐	☐	☐
je vérifie la valeur de ma réponse,	☐	☐	☐
je vérifie si la solution est complète.	☐	☐	☐

Je suis devenu capable

	complètement	partiellement	pas du tout
d'utiliser la même démarche à nouveau,	☐	☐	☐
de solutionner de nouveaux problèmes,	☐	☐	☐
d'enthousiasme et de confiance en moi,	☐	☐	☐
de créativité et d'autonomie,	☐	☐	☐
de sens critique et de rigueur,	☐	☐	☐
de réceptivité et d'esprit d'équipe.	☐	☐	☐

CORRIGÉ

page 6
2. 5 objets de forme rectangulaire.
3. Le nom de la figure géométrique.
4. Qui a pris le moins de temps ?
5. Glaciers à la cerise de plus qu'à l'orange.
6. Le nombre total de berlingots reçus.

page 7
7. La différence dans le nombre de sauts des championnes.
8. Le nombre total de ballons lancés.
9. Lequel des 6 couplets est chanté par les élèves de 4e ?
10. Le nombre total d'élèves dans les équipes de nettoyage.
11. Le nombre total d'élèves transportés par les 2 autobus.

page 8
1. Maxime   2. Louise   3. Thomas

page 9
4. Je cherche le nombre total de lecteurs assis à 12 tables de 6 places.
5. Les 180 livres ont complété combien de livres pour qu'on en ait 600 ?
6. Quel est le nombre total de livres après un ajout de 100 livres aux 360 d'avant ?
7. Quelle est la différence entre le nombre d'élèves de l'école et le nombre d'élèves inscrits à la bibliothèque municipale ?

page 10
1. septembre à juin = 10 mois et dépôt 2 fois par mois.
2. 1er dépôt par 67 filles et 45 garçons.
2e dépôt par 72 filles et 53 garçons.
3. épicier: 3$ pour 6 kg.
pommiculteur: 1$ pour 3 kg.
4. fruiterie: 36$ pour 12 citrouilles.
marché: 2$ pour 1 citrouille.

page 11
5. trajet aller simple: 38 km—aller-retour 2X
6. mesure 142 cm -> 5 cm de plus qu'avant.
poids actuel 32 kg -> 3 kg de plus qu'av.
7. Obligation de 1500 m->Jérémie: 1258 m
8. Classe rectangulaire:4 côtés=2x (8m+6m)

page 12
1.
	M	L	J	R	J	Total
M	X	X	X	X		4
L	X		X	X	X	4
J	X	X		X	X	4 } 20
R	X	X	X		X	4
J	X	X	X	X		4

2.
départ 0
1er tour 2
2e tour 4
3e tour 8
4e tour 16

3. ??8 – ?48 – 748 ou 948

page 13
4. Sonia: 30 Vicky: 30 – 15 = 15
5. rouge: 3 bleue: 4 jaune: 2
6. 2,85 m = 285 cm // 3 m – 50 mm=295 cm

page 14
1. [figure] 2. Jean Paul [figure] Louis
3. 1 bleue = 8 perles
4 bleues = 4 x 8 perles

page 15
4. [figure] 5. [figure]
6 bleus [figure]
jaunes [figure]

pages 16 et 17 Réponses variables pour les nos 1 à 6

page 18
2. Combien de millilitres dans un litre ?
3. Combien de secondes dans 5 minutes ?
4. Combien de centimètres dans un mètre ?

page 19
5. Combien de grammes dans un kilogramme ?
6. Combien de mètres dans un kilomètre ?
7. Combien de mois dans une année ?
8. Combien de minutes dans une heure ?

page 22
2. ~~Le 4 octobre,~~ Kaman est allée visiter un verger. Elle a vu une première section où étaient alignées 3 rangées de 12 pommiers. Au pied de chaque pommier, il y avait 2 caisses de pommes. Combien y avait-il de caisses de pommes dans cette section?

3. Nicole a 2 albums de photos. ~~Le premier a 12 pages et peut recevoir 6 photos par page,~~ le second a 10 pages et peut recevoir 8 photos par page. Combien de photos peut-elle mettre dans le second album?

4. Mon numéro d'adresse est inférieur à 99. Le chiffre à la position des unités est pair et plus grand que 6. Le chiffre à la position des dizaines est le triple du chiffre 3. ~~Enfin ma maison est située à 7 mètres du trottoir.~~ Quel est mon numéro ?

5. Le stationnement du supermarché est assez grand pour y placer 52 voitures ou 32 camionnettes. Ce matin, 18 voitures et 7 camionnettes y sont stationnées. Combien de véhicules y sont stationnés ce matin?

page 23
6. J'ai rangé les 57 épinglettes de ma collection ~~dans 3 grands coffrets en merisier.~~ Dans 2 ans, j'aimerais avoir doublé ma quantité d'épinglettes. Si j'y parviens, combien aurai-je alors d'épinglettes?

7. La face nord de mon école a 18 fenêtres, la face sud en a 20, la face est en a 8 et la face ouest en a 6. ~~Chaque fenêtre a 2 vitres rectangulaires.~~ Combien y a-t-il de fenêtres sur les 4 faces de mon école?

8. C'est l'anniversaire d'Hubert: ~~il a aujourd'hui 10 ans.~~ Il a préparé 2 douzaines de petits gâteaux au chocolat pour recevoir ses 5 amis. Combien restera-t-il de gâteaux quand tous en auront mangé 2?

9. Kim nage dans une piscine aux dimensions très impressionnantes: longueur de 50 mètres, ~~largeur de 20 mètres et profondeur de 2 mètres.~~ Si elle franchit 5 longueurs en 12 minutes, combien de mètres aura-t-elle parcouru en nageant?

10. Nadine récolte les fruits et les légumes de son potager. On y trouve 12 plants de tomates ~~et 8 plants de concombres.~~ Si chaque plant de tomates lui donne 5 kilos de tomates, quelle sera la masse de sa récolte de tomates?

11. Bernard et ses amis voyagent dans un autobus de 48 places. ~~Ils parcourront 65 kilomètres pour aller visiter une exposition agricole.~~ Il y a 5 places libres dans l'autobus. Combien y a-t-il de passagers dans l'autobus?

page 24
2. portes 103 -> 100
2 portes/min ->30 portes/h
2 heures -> 60 portes
} Elle n'a pas assez de temps.

3. 9$ --> 10$
12 --> 10$
14 x 10$ = 140$
} C'est près de 150$

page 25
4. 196 tuiles --> 200
32 --> 30 : 5 x 30 = 150 tuiles
} Il n'y en aura pas assez.

5. 510 ml -> 500   392 ml -> 400
400 x 500 = 200 000 ml = 200 litres
} Plus que 150 litres

6. 52 pages/heures -> 50 pages/hre
1 page/minute -> 60 oages/heure
} Claudette lit le plus de pages.

page 26	2. il manque le nombre de sauts de Raymond	
	3. il manque la longueur du tour du parc	
	4. il manque le nombre de billes au départ	
page 27	5. il manque le nombre d'élèves ayant eu 0 faute	
	6. il manque le coût de la bande dessinée	
	7. il manque les heures de télé après souper samedi	
	8. il manque le nombre de lignes par page	

page 28

2. 4A + 4B + 4C   autocars   adultes
   28+30+29=87   2 x 48 = 96   96 – 87 = 9

3. min enregistr.   cassettes   reste
   (2x60)+(4x30)   6x60 = 360   360–240 = 120

page 29

4. argents   B.D.   Assez?
   50+25+20=95   8x12=96   95–96= Non

5. 1er coffret   2e coffret   en tout
   2 x 12 = 24   3 x 10 = 30   24+30+5=59

6. n. de sandw.   n. de morceaux   par pers.
   8+4+4= 16   4 x 16 = 64   64 ÷ 8 = 8

page 30
1. 90 + 48 = ?   2. 228 – 112 = ?
3. 23 x 9 = ?   4. 52 – 12 = ?

page 31
5. 227 + 145 = ?   6. 95 – 60 = ?
7. 10 x 5 = ?   8. 18 + 55 = ?
9. 120 – 78 = ?   10. 24 x 9 = ?

page 32
2. 38 x 3 = ?   3. 75 x 56 = ?
4. 3 x 5 = ?   5. 47 – 18 = ?

page 33
6. 30 + 55 = ?   7. 280 x 2 = ?
8. 4500 – 1200 = ?   9. 14 x 20 = ?
10. 97 + 56 = ?

page 34
2. 1- Gaspé 2 x 250 = 500
   2- total 250 + 500 = 750 km
3. 1- papa 430 – 135 = 295
   2- total 430 + 295 = 725 litres
4. 1- 10 ans x 5 = 50
   2- 50 – 13 = 37 ans

page 35
5. 1- en main 88 + 22 = 110
   2- achats 85 + 18 = 103
   3- 110$ > 103$ donc oui
6. 1- André 8 x 2 = 16$ 2- Louis 6 x 2 = 12$
   3- total 16 + 12 = 28$
7. 1- 48 – 15 = 33   2- 33 + 8 = 41
   3- 48 – 41 = 7 places libres
8. 1- 125 x 5 = 625$ 2- 76 x 2 = 152$
   3- 625$ + 152$ = 777$

page 36
1 a) pommes b) kiwi c) 10 d) banane
2 a) spaghetti b) poisson c) hot dog & boeuf h. d) 14

page 37
3. 35 élèves   4 a) 6 parties b) 12 parties

page 38	1. **50**	2. **40**	3. **100**	4. **100**	5. **600**
page 39	6. **25$**	7. **100**	8. **200**	9. **40**	10. **20 000**
page 42	1. **360**	2. **264**	3. **1900**	4. **90**	
page 43	5. **32$**	6. **73**	7. **20$**	8. **168**	

page 44 1. valable 2. non valable 3. valable 4. valable
page 45 5. non valable 6. non valable 7. valable 8. valable

page 46 1. complète 2. partielle 3. complète 4. partielle
page 47 5. complète 6. complète 7. complète 8.partielle

page 50 1. **Mireille**(61) 2. **80** perles 3. **502** perles
page 51 4. **non** 5. **64** perles 6. **11** casiers
page 52 7. **12** ans 8. **3** morceaux 9. 21 mai 1987
page 53 10. **120** mois – **540** mois 11. **9** 12. **8** ans
page 54 13. **97** élèves 14. **202** 15. **11 h 5**
page 55 16. **350** m 17. **300** 18. **10** secondes
page 56 19. **2335** ml 20. **2500** ml 21. **144$**
page 57 22. **72** verres 23. **2000** gouttes 24. **2** litres
page 58 25. **50000** fleurs 26. **36** feuilles 27. **206** glands
page 59 28. **36** km 29. **4000** mètres 30. **50** mètres
page 60 31. **36** thons blancs 32. **36500** kg 33. **7** mètres
page 61 34. **39** ans 35. **200** volts 36. **5** mètres
page 62 37. **40** km 38. **20** kg 39. **7** km/heure
page 63 40. **245** os 41.**1260** min 42. **15** ans

page 64 43. **184 000** oeuf s 44. **28** jours 45. **408** chatons
page 65 46. **12** ouistitis 47. **56** heures 48. **360** minutes
page 66 49. **6 240** plumes 50. **3 600** oeufs 51. **112** heures
page 67 52. **38 000** km 53. **350** km 54. **Non**
page 68 55. **1 461** jours 56. **68** jours 57. **24** fois
page 69 58. **315** minutes 59. **63** ans 60. **40** ans
page 70 61. **1 100** collants 62. **2 532** timbres 63. **480** spécim.
page 71 64. **182** cartes 65. **914** pièces 66. **10** ans
page 72 67. **Martine, 30$** 68. **6$** 69. **162$**
page 73 70. **Oui** 71. **Métro-Sport** 72. **116$**
page 74 73. **189** journaux 74. **25,25$** 75. **33$**
page 75 76. **125** jours 77. **90** jours 78. **527** minutes
page 76 79. **15 h 45** 80. **98** clients 81. **23,90$**
page 77 82. **2** à **10,95$** 83. **6,45$** 84. **5,76$**
page 78 85. **4 950** km 86. **3 136** pas. 87. **8 232** kg ou **8** tonnes
page 79 88. **5320** km 89. **4** vols 90. **14 h 15**
page 80 91. **99** min ou **1h39** 92. **70,2** kg 93. **15,11$**
page 81 94. **13,25$** 95. **3** semaines 96. **10,40$**
page 82 97. **Renée - 3 cm** 98. **11 kg** 99. **2 240** lignes
page 83 100. **327** feuilles 101. **1 161** cartons 102. **60$**

page 84 1. a) **2 600** livres b) **Contes** c) **Dictionnaires**
   d) **200** livres   e) **5** pictogrammes

page 85 2. a) **1 198** min b) **716** min c) **Ginette** d) **Non**
   e) **3 562** min ou **59 heures et 22 minutes**

page 86 3.
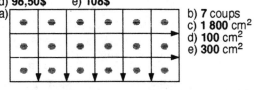
a) **porte-avion**
b) **cuirassé**
c) **sous-marin**
d) **Non**
e) **H10, I9, J8**

page 87 4. a) **Oui Marie** b) **Sue** c) **Lina** d) **Non**
page 88 5. a) **droit** b) **7** marches c) **6** marches d) **8191** pièces
page 89 6. a) **D-H-F-E** ou **C-G-E-F** ou **D-H-G-E** ou **C-G-H-F**
   b) **230** mètres c) **44** mètres d) ils sont **identiques**

page 90 7.

?	maison rouge	maison bleue	maison jaune	maison noire	Carl
qui?	Denis	Paul	Luc	Carl	
âge?	60	35	37	30	
animal?	poisson	chat	chien	perroquet	

page 91 8. a) **176** boîtes b) **2e** (maïs) c) **4e** (betteraves)
   d) **98,50$** e) **108$**

page 92 9. a)
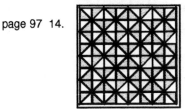
b) **7 coups**
c) **1 800 cm²**
d) **100 cm²**
e) **300 cm²**

page 93 10. a) **1 tasse** b) **½ c. à thé** c) **1 tasse** d) **Oui** e) **200°C**

page 94 11.

éléphant chameau
ours polaire
tigre kangourou
pélican
hippopotame girafe

page 95 12. a) **boîte B**
   b) **boîte D**
   c) **A et C**
   d) **A, B et C**
   e) **aucun**
   f) **632 blocs**

page 96 13. **transfert 3X**

page 97 14.

page 98 15.réponses **variables**

 ÉDITIONS MARIE FRANCE

3651, rue Fleury Est
Montréal-Nord (Québec) H1H 2S5
Téléphone: (514) 329-3700
Télécopieur: (514) 329-0630